Viento del pueblo

Letras Hispánicas

Miguel Hernández

Viento del pueblo

poesía en la guerra

Edición de Juan Cano Ballesta

CATEDRA

LETRAS HISPANICAS

Índice

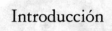

Introducción

Miguel Hernández. Retrato realizado por Antonio Buero Vallejo en 1940

Miguel Hernández, poeta del pueblo en guerra

Viento del pueblo representa un tipo especial de poesía, ligada a las peripecias del acontecer histórico, a la que se consagra Miguel Hernández en el revuelto ambiente de la guerra civil. Es la obra más vibrante de quien mereció ser llamado «gran poeta del pueblo» y «el primer poeta de nuestra guerra»[1]. Los poemas de este libro surgen de una historia que se está haciendo y en la que tratan de imprimir su huella. El combatiente y el poeta palpitan en él con sus preocupaciones, angustias e ilusiones, en el ritmo atropellado de sus versos, en la fluidez de sus romances y en el chisporroteo de imágenes sorprendentes.

Ya el título *Viento del pueblo* alude a aquel viento huracanado, al desbordamiento de vida, pasión e impetuosidad colectiva, por el que Miguel Hernández se siente arrebatado y empujado a la acción solidaria:

> Vientos del pueblo me llevan,
> vientos del pueblo me arrastran...

Así lo confiesa en la «Nota previa» a su *Teatro en la guerra*

---

[1] Concha Zardoya habla de un homenaje rendido a Miguel Hernández, que tuvo lugar en Valencia, donde se profirieron tales palabras (36). El poeta, por su ejemplar actuación, era ciertamente acreedor a tales títulos, pero el homenaje no ha recibido comprobación alguna, aunque varios biógrafos siguen aludiendo a él. El acto del 21 de agosto de 1937 en el Ateneo de Alicante, en que M. Hernández ocupa la tribuna «para contar sus impresiones de campaña y recitar sus romances de guerra» (Ramos, 40), por muy honroso que fuera para el poeta, es una conferencia o recital, pero no propiamente un homenaje. De hecho no hubo otros oradores.

(1937), donde, al tratar de explicar el origen y sentido de toda su poesía de propaganda, habla de «un gran aire» y alude al singular hecho histórico que la provocó:

> El 18 de julio de 1936, frente al movimiento de los milita-res traidores, entro yo, poeta, y conmigo mi poesía, en el trance más doloroso y trabajoso, pero más glorioso, al mismo tiempo, de mi vida. No había sido hasta ese día un poeta re-volucionario en toda la extensión de la palabra y su alma. Había escrito versos y dramas de exaltación del trabajo y de condenación del burgués, pero el empujón definitivo que me arrastró a esgrimir mi poesía en forma de arma combativa me lo dieron los traidores con su traición, aquel iluminado 18 de julio. Intuí, sentí venir contra mi vida, como un gran aire, la gran tragedia, la tremenda experiencia poética que se avecinaba en España, y me metí, pueblo adentro, más hondo de lo que estoy metido desde que me parieran, dispuesto a de-fenderlo firmemente de los provocadores de la invasión...
> Con mi poesía y con mi teatro, las dos armas que más me corresponden y que más uso, trato de aclarar la cabeza y el corazón de mi pueblo, sacarlos con bien de los días re-vueltos, turbios, desordenados, a la luz más serena y humana (TC 407).

Estas palabras, escritas en la primavera de 1937, reflejan, de modo transparente y lúcido, el sentido que Miguel Her-nández daba a los poemas recogidos en este volumen.

Los poetas y la revolución

Ya desde los últimos años de la dictadura de Primo de Rivera, y con ritmo más acelerado desde la proclamación de la República, habían comenzado ciertos poetas, encabe-zados por Emilio Prados y Rafael Alberti, a deslizarse des-de el culto a la pureza y el refinamiento artístico hacia la espontaneidad, la efusión romántica, el compromiso polí-tico y la necesidad de librar los sentimientos de cualquier tipo de camisa de fuerza expresiva. Desde 1933, Alberti se convierte en «poeta en la calle» y comienza a publicar can-tos revolucionarios, poesía de propaganda política y feroces ataques a la burguesía en defensa del comunismo. Estos impresionaron vivamente a Miguel Hernández, recién llegado a Madrid, y sembraron en su espíritu joven y maleable el germen de la inquietud política. También Emilio Prados se entregó durante años a una intensa acción revolucionaria a través de su creación poética, que comienza a lograr amplia divulgación en la revista *Octubre* a partir de 1933. Los brotes de la poesía politizada se hacen cada vez más frecuentes e intensos, surgiendo voces como la de Plá y Beltrán, que lanza sus «gritos revolucionarios» en *Epopeyas de sangre* (1934) o Arturo Serrano Plaja, quien publica su *Destierro infinito* (1936) con una oda a Aida Lafuente, la heroína de la revolución de octubre[2].

El mismo Miguel Hernández, tras la revuelta de los mineros de Asturias, que puso a los intelectuales en pie de guerra, es posible que ya comenzara a hacer sus primeros ensayos en un tipo de poesía revolucionaria, de la que nos han llegado «Alba de hachas» y «Sonreídme», ambos anteriores a la guerra civil. Al moverse en los círculos claramente revolucionarios de la revista *Octubre,* de R. Alberti, Pablo Neruda y Raúl González Tuñón, canta su liberación del viejo ambiente católico y conservador, mientras incita a la gran revolución, que anuncia con caracteres apocalípticos como «un derrumbamiento babilónico».

En «Sonreídme», el poeta fundamenta su compromiso político no en ideas abstractas, sino en las experiencias vividas y sufridas (hambre, penas, cicatrices) suyas, de los suyos y de todos los pobres:

> viendo a mi hermana helarse mientras lava la ropa,
> viendo a mi madre siempre en ayuno forzoso,
> viéndoos en este estado...

Estas experiencias dolorosas le encienden la cólera revolu-

---

2 Más información documental sobre esta creciente politización de la literatura durante los años de la República, mientras se aleja de los ideales puristas, puede verse en J. Cano Ballesta, *La poesía española entre pureza y revolución, 1930-1936* (Madrid, Gredos, 1972).

cionaria que empujará hacia una actuación colectiva: «habremos de agruparnos oceánicamente». Ya antes de los primeros disparos sentía Miguel, y expresaba con vehemencia, algunos de los problemas fundamentales que iban a arrastrar al pueblo español a una guerra fratricida. Como formula Marie Chevallier, «el poeta ve pues a la sociedad según la división en clases antagónicas del análisis marxista. La visión no admite matices. Está el pueblo y sus explotadores» (*L'homme*, 246). Esta visión, sin duda maniquea y simplista, servirá de marco dramatizador de la expresión poética hernandiana a lo largo de toda la contienda.

Pero el gran acontecimiento histórico que logró la definitiva derrota de todo tipo de esteticismo y purismo lírico fue inevitablemente la guerra civil española, que como un poderoso vendaval empujó a espíritus muy sensibles, entre los que destacan R. Alberti y M. Hernández, a convertirse en voceros de la lucha del pueblo. El poeta de Orihuela, que combinaba su estancia en el frente con las actividades literarias de un intelectual comprometido, puso su arte, desde el principio, al servicio de la causa republicana, en la firme convicción de que «todo teatro, toda poesía, todo arte, ha de ser, hoy más que nunca, un arma de guerra» (TC, 407).

Pero M. Hernández sabe definir con mayor precisión lo que él considera su misión: luchar por la justicia, por la superación del caos, empujar a la acción en momentos de desaliento, enardecer y levantar los ánimos. Así lo prueba el siguiente texto de los archivos del poeta, puesto a mi disposición por A. Sánchez Vidal:

> Lucho porque la revolución no sea una borrachera que precipite España en un caos de atropellos y venalidades - amo una mística en el trabajo, en las artes - la poesía en mí es una arma que dejo en las manos del pueblo - son muchos los problemas que amanecen cada día y a los poetas toca resolverlos por la palabra, que es el principio de la obra - ¿y para eso tanta sangre caída y cayendo? - no vendo mis alegrías y mis penas: no me es posible hacer el oficio del mercader con ellas - ¿Anda el solar decaído? De poetas es levantarlo, elevarlo, crearlo, inventarlo - ¿no tenéis sangre en las venas? les

grita... El poeta conmociona como nadie y revoluciona como nadie - Nunca me saldré de mi destino de poesía, que es el destino del pueblo, soldados, como una piel, como el traje, fácil de confundir con la tierra, llevar con la alegría de conocer en lo más hondo la vida, los sufrimientos.

El libro: estructura, forma y tonalidad épica

A estas convicciones, a esta postura humana y poética, responde *Viento del pueblo,* publicado en septiembre de 1937. Comprende una serie de obras surgidas, como respuesta a situaciones muy precisas, de la azarosa existencia de la guerra. El poema primero de este ciclo bélico es, cronológicamente, «Sentado sobre los muertos», que apareció en *El Mono Azul,* núm. 5, 24 de septiembre de 1936. En contra de otras fechas de composición que se le han atribuido, sólo ésta presta sentido a los versos iniciales del romance, que aluden a los muertos de los dos primeros meses de la contienda:

> Sentado sobre los muertos
> que se han callado en dos meses[3]...

El libro se cierra, cronológicamente, con el poema «Euzkadi», publicado en *La Voz del combatiente,* núm. 201, 20 de julio de 1937, muy probablemente poco después de su composición. Con ello *Viento del pueblo* comprendería poemas compuestos entre septiembre de 1936 y julio de 1937 como límites cronológicos.

En cuanto a la formación y estructura del libro, ha dicho Serge Salaün que *«Viento del pueblo* no se debe de considerar como un ciclo de poemas coherente y cerrado que se basta a sí mismo». No sería una obra completa, sino fragmentaria y reunida por razones exteriores, editoriales, o de

---

[3] Tanto R. Marrast en *Poesía y prosa de guerra* de M. Hernández, 40, como A. Sánchez Vidal en *Poesías Completas,* 806, dan erróneamente como fecha de publicación agosto de 1936. Rafael Gómez, en *Las cartas de Miguel Hernández a J. M. Cossío,* 62, hace notar esta confusión y trata de corregirla.

propaganda política. A. Sánchez Vidal cree que es «una miscelánea heterogénea, una recopilación de material disperso publicado o leído aquí o allá, o bien inédito (PC, CXXII). Coincido con Salaün en admitir que este libro es sólo la parte inicial de todo un proceso de creación «cuya unidad se realiza por referencia a la historia» («Individualidad», 197, 198). Es cierto que el autor no pudo dar a esta obra una organización estructurada y definitiva, y que *Viento del pueblo,* los poemas sueltos de fechas próximas, y *El hombre acecha,* constituyen la más amplia unidad que abarcaría toda la producción poética realizada bajo las circunstancias de la guerra y con la tonalidad épica que tan singular hecho imponía. Pero también es cierto que esta vasta producción bélica experimenta una clara evolución. La experiencia de la contienda, el ánimo de los combatientes, e incluso las oscilaciones del gusto del público y del mismo poeta, se proyectan en una tonalidad y unos modos de expresión diferenciados. Estos reflejan un clímax de tensión épica y su desmoronamiento, de fervor bélico y de desencanto, que dan pleno sentido a una partición binaria de la poesía de guerra y que empujan al propio M. Hernández a dividirla en dos libros distintos.

En *Viento del pueblo* se recogen los poemas que reflejan el momento cenital de la combatividad y euforia épica. Sus estados de ánimo son múltiples. El espíritu bélico podrá encenderse o decaer en el desaliento, pero, a pesar de los altibajos, muestra rasgos distintivos inconfundibles. He aquí algunos de ellos. Es el primero la honda comunidad vital con el pueblo. El libro entero se nutre, como el mismo poeta dice en su dedicatoria, de la misma sustancia del pueblo:

> el pueblo, hacia el que tiendo mis raíces, alimenta y ensancha mis ansias y mis cuerdas con el soplo cálido de sus movimientos nobles.

El término «pueblo» se convierte casi en un concepto metafísico, con toda su carga romántica, mítica y proletaria. Es el nuevo eje y centro inspirador de toda esta poesía, y expresión de la total identificación y solidaridad con él.

Íntimamente ligado a esta identificación con la colectividad habría que señalar la forma métrica inicial y más característica de *Viento del pueblo*. Es ésta el romance, que se hace popular desde los primeros meses de la contienda entre las milicias de la República. Como ha dicho José Monleón:

> el Romancero es un reflejo exacto del estado de ánimo del campo republicano. Nace y crece en los primeros meses de la guerra, cuando nace y crece la milicia popular. Se detiene cuando advierte que el heroísmo no conduce necesariamente a la victoria. Se hace grave, sereno, elegíaco, en los mejores casos; banal y estereotipado, en los peores, cuando la guerra se pone cuesta arriba y está demás cualquier entusiasmo ingenuo (119).

El sentimiento popular da vuelo al romancero, en el que se identifican poeta y pueblo en una expresión eficaz y auténtica. En efecto, muchos de estos poemas, compuestos para ser recitados en las trincheras, en las emisoras de radio, o para ser divulgados en las publicaciones del frente, exigían el romance como la forma espontánea y obvia de comunicación épica entre las milicias. Miguel Hernández se ve envuelto en aquella inicial oleada de solidaridad del pueblo con el gobierno amenazado de la República.

Hasta marzo de 1937 (si tenemos en cuenta los tres romances «El campesino», «Digno de ser comandante» y «Memoria del Quinto Regimiento», no incluidos en *Viento del pueblo*) el romance aún predomina como forma popular de expresión en la poesía bélica de Miguel Hernández, mientras que conforme se alarga la contienda, el poeta se vuelve progresivamente hacia metros más solemnes.

Serge Salaün ha observado cómo

> el romance, forma espontánea de la comunicación republicana, del yo y del grupo, corresponde a un primer arranque de solidaridad, pero desaparece muy pronto en provecho de formas más amplias, y este ensanchamiento entra con toda evidencia dentro del proceso épico hernandiano... el verso largo

es el auténtico metro épico por las posibilidades aparentemente nuevas que ofrecía: era un compás, un ritmo que rompía sistemáticamente los automatismos físicos adquiridos por siglos de costumbre y de cultura («Individualidad», 203-204).

Este tono épico, que impregna todo el libro, va buscando, pues, formas más cultas y versos de mayor amplitud rítmica conforme avanza la guerra. En efecto, entre 25 que forman el total, 17 poemas de *Viento del pueblo*, y casi todos los posteriores a marzo de 1937, están compuestos en estos versos de largo aliento.

Otra nota llamativa de *Viento del pueblo* es el impulso mitificador y épico, que tiende a ahondar en las peripecias de la realidad humana universalizando y sublimando los conflictos de la existencia. Es un rasgo que impregna todo el libro, presta trascendencia a lo contingente de la historia y sublima la ya de por sí heroica lucha del pueblo. Precisamente, esta tonalidad, sus imágenes violentas, su grandilocuencia y énfasis excesivo han suscitado ciertas críticas. Pero conviene recordar que aquel no era un momento común. España era un campo de batalla, las fuerzas internacionales que iban a provocar la catástrofe de la II Guerra Mundial se enfrentaban allí espectacularmente. Las pasiones eran violentas y las circunstancias exigían dimensiones titánicas y un tono épico. Una crítica sensible a hechos de tal magnitud no puede limitarse a la valoración meramente esteticista. ¿Cómo podían los poetas, inmersos en esta lucha diaria, cantar en un tono moderado, en un lenguaje bellamente equilibrado? El ritmo atropellado y exaltado era el tono normal de un momento excepcional. Sólo el canto épico era capaz de celebrar un acontecimiento extraordinario y único de la historia contemporánea. Serge Salaün lo ha expresado en otros términos: «El énfasis no es otra cosa que la forma y la consciencia del drama, la exacta medida de la verdad histórica y psicológica» («Pages retrouvées», 361).

Miguel Hernández piensa que su función de poeta es precisamente levantar los ánimos, sembrar fe en el triunfo del pueblo y «conducir sus ojos y sus sentimientos hacia las cumbres más hermosas». Esto presta al libro una entonación especial: apasionamiento, fervor épico, jubilosa agresividad. Un crítico considera la alegría, junto con la juventud, como uno de los «ejes retóricos» de las prosas de guerra (Berroa, 62, 72, 73), lo que también se podría considerar válido para *Viento del pueblo*. Sin embargo el poeta pasaba también por momentos de angustia y desencanto. Esa alegre combatividad no era a veces expresión espontánea de íntimas convicciones, sino un esfuerzo consciente que le inspiraba el sentido del deber. El desaliento puede anidar en su ánimo cansado y embargarle la voz. Así nos lo revela un estudio detallado de las varias versiones de «Vientos del pueblo me llevan». Es uno de los romances más característicos de *Viento del pueblo,* con su tono fervoroso, confiado y arrogante, y con una vigorosa invitación a la lucha como respuesta a los que quieren «echar un yugo sobre el cuello de esta raza». Sin embargo, al examinar otras redacciones del texto, podemos percibir las hondas crisis por que atravesaba el ánimo del poeta. Marie Chevallier, que descubrió una versión a lápiz con abundantes variantes, nota cómo «el poeta parece exorcizar fantasmas interiores» y se siente por momentos abandonado «a la tentación de dejar operar la muerte» (*L'homme,* 464-65). Estas versiones revelan, de modo sorprendente, las tremendas dudas y angustias del hombre:

> la tierra entera no puede
> tragarse tanta mortaja
> los cadáveres te inundan...
> ¿Dónde vas con tantos muertos
> jóvenes a las espaldas...
> a veces me dan anhelos
> de dormirme sobre el agua
> y de despertar jamás
> y no saber más de mí
> mañana por la mañana...
> Qué hondura más honda veo!
> (y qué rama de desgracia?)
> España. . . . . .abismo?)
> España jamás te salvas (PC, 809).

Ante el espectáculo de destrucción, ruinas, y tantas jóvenes vidas segadas en flor, el poeta sufre depresiones y pensamientos de suicidio, y por momentos parece incluso dudar de la victoria sobre el enemigo. El aparente tono jubiloso del libro, y su ejemplaridad política y moral, en medio de las contorsiones de la guerra, apenas nos dejan sospechar las tremendas tempestades que se levantaban en el espíritu angustiado del poeta.

Itinerario del poeta en armas

Tratándose de un libro tan ligado al desarrollo de la contienda y a la trayectoria biográfica de su autor, convendría preguntarse cómo conjugó Miguel Hernández su vida personal y amorosa con la participación en la guerra y con su papel de intelectual y poeta. ¿Cómo llega la peripecia exterior a afectar la estructura, el sentido, el tono y la forma de estos poemas?

La estancia de Miguel Hernández en Orihuela, en el verano de 1936, tan cargado de presagios, comenzó el 30 de julio (*Cartas a J,* 135) ensombrecida por las alarmantes noticias de la revuelta. La inquietud pronto se convirtió en tragedia ante el asesinato en Elda (13 de agosto de 1936) del padre de Josefina, que era guardia civil. Llegada la hora de la vuelta, el poeta, tras muchas cavilaciones, pregunta en carta a Cossío (12 de septiembre de 1936) si debe irse a Madrid, y sale para la capital el 18 de septiembre. Sus proyectos de seguir trabajando para Cossío, e incluso de colocar con él a su amigo Jesús Poveda y al hermano de su novia (*Cartas a J,* 139), se derrumban ante la inexorable realidad de la guerra, cuyas hostilidades se acercan peligrosamente a Madrid.

A la semana de su llegada, Miguel Hernández se presenta como voluntario al Quinto Regimiento, organizado en la calle Francos Rodríguez, donde en las dependencias de un convento se había instalado una especie de academia de adiestramiento militar. La unidad fue creada por la alta dirección del Partido Comunista, cuyo secretario general era

Miguel Hernández en el frente de Andújar

José Díaz. A 'La Pasionaria' pronto se le otorgó el título de «organizadora y comandante de honor del Quinto Regimiento» (PPG 25-26). Aquellas primera experiencias, en el viejo convento convertido en lugar de entrenamiento de jóvenes antes de ser enviados al frente, y el espíritu que reinaba allí, quedan evocados en una página inédita del poeta, manuscrita a lápiz, que descubrí en los archivos de Miguel Hernández. La reproduzco con su misma grafía y espacios libres, que reflejan su carácter de notas sueltas. Debió ser escrita en 1938. Va dirigida al 'Comandante Carlos', nombre de batalla del conocido voluntario italiano Vittorio Vidali:

> Carlos, he vuelto al cuartel de Francos Rodríguez, no hay nada: agujeros de obuses en las paredes: un coche derribado, la iglesia donde dormimos juntos con los santos - donde el sueño de tantos muchachos relinchaba ansioso de subir a luchar a la sierra. pero en la tierra suenan los pasos de aquellos potros.   aplicando la oreja se escuchan sus pisadas, los golpes de fusiles y talones aprendiendo la instrucción el galope callado.   muchos pasos se hundieron pero muchos se afinan hoy con mucho más brío - y la voz tuya por la radio - los hombres que salían para no volver más por esta puerta que tragó caballos andaluces - De aquí salió la vida, la victoria. Aquí fue sembrada la semilla que hoy vemos convertida en ejércitos en trigales de reluciente pelo de sabor para siempre.
>
> Aquí reunimos piojos, pobrezas, iras, juventud, alegría, y cogimos un fusil, el primero, y aprendimos a disparar contra esa muerte que se había sublevado y se nos acercaba - con un mendrugo de pan y un fusil que esperaba que cayera un compañero para que lo empuñara otro, nos defendimos bien, nos defendimos   aquí empezó a forjarse la libertad de España   pero el tiempo y el fuego permanece y el frío no se olvida de su oficio: unos se echaron hacia atrás, retrocedieron mezquinos.   otros cayeron definitivamente hacia adelante: tú sigues en tu puesto, igual que Modesto Líster, el Campesino...

En torno al 24 de septiembre de 1936 hay que datar el primer poema de *Viento del pueblo*, «Sentado sobre los muertos», donde Miguel se decide a poner su poesía al servicio del pueblo y señala su origen humilde como motivo que le empuja a esta decisión de defenderlo

> con la sangre y con la boca
> como dos fusiles fieles.

Como miliciano del Quinto Regimiento es asignado a la Segunda Compañía de Fortificaciones y destinado a abrir zanjas y construir trincheras en Cubas «para no dejar paso a los fascistas que hay en Talavera de la Reina», como dice en carta a Josefina del 27 de septiembre de 1936 (*Cartas a J*, 141).

Tras una breve enfermedad, Miguel se incorpora al batallón de Valentín González, 'El Campesino'. Actúa como jefe del departamento de cultura a las órdenes del cubano Pablo de la Torriente, que es el comisario político (Guereña, 98). Con él diseña los planes para publicar «el periódico de la brigada», escribe prosa y verso para las tropas, recita poemas en el frente, e instruye a los soldados sobre el sentido de la lucha actuando en diversos lugares en torno a la capital, como Valdemoro, Pozuelo, Alcalá, Ciudad Lineal, Majadahonda, Boadilla del Monte, etc. Enrique Líster, otro alto mando con el que colaboró intensamente Miguel, ha sabido apreciar el valor de esta aportación de los intelectuales y poetas:

> Yo, que no entiendo nada de poética, les estoy profundamente agradecido a los poetas por el importante papel que la poesía ha desempeñado durante la guerra. He sido siempre partidario de los discursos cortos, directos, que lleguen al corazón, calienten la sangre y dejen en el cerebro de los que escuchan materia de reflexión. Por eso, una buena poesía era para mí algo así como varias horas de discursos resumidos en pocos minutos. He podido comprobar muchas veces que una poesía capaz de llegar al corazón de los soldados valía más que diez largos discursos.

El gran jefe de milicias reconoce el poder de la poesía «para despertar en el hombre todo lo que hay de mejor en él. Para empujarlo a superarse, para hacer de los hombres, héroes y de los héroes, héroes aún más grandes». Mientras tanto recuerda la visita a las trincheras de Miguel Hernández, Herrera Petere, Serrano Plaja, Pedro Garfias, Altolaguirre y Emilio Prados entre otros muchos (Líster, 127). A esta misión de encender el fervor bélico y suscitar confianza en la victoria se orientan los esfuerzos del poeta y los versos todos de *Viento del pueblo*.

Miguel había conocido a su comisario y futuro amigo, el cubano Pablo de la Torriente, en septiembre de 1936, en la Alianza de Intelectuales, y solía ensalzar su originalidad y sentido del humor. Pablo de la Torriente, periodista y revolucionario contra la dictadura de Machado en Cuba, cuenta así sus contactos con Miguel en carta escrita desde Alcalá de Henares el 28 de noviembre de 1936: «El día 23 creo que lo pasé todo en Alcalá. Descubrí un poeta en el batallón, Miguel Hernández, un muchacho considerado como uno de los mejores poetas españoles, que estaba en el cuerpo de zapadores. Lo nombré jefe del departamento de cultura y estuvimos trabajando en los planes para publicar el periódico de la brigada y la creación de uno o dos periódicos murales, así como la organización de la biblioteca y el reparto de la prensa... Y con él me fui después a ver algunas cosas famosas de Alcalá» (Torriente-Brau, 160). Precisamente Pablo de la Torriente muere el 18 de diciembre de 1936 luchando cerca de Majadahonda. Miguel le dedica su emotiva «Elegía segunda (A Pablo de la Torriente, Comisario político)», que recita en el homenaje fúnebre e incorpora después a su libro. Desde Ciudad Lineal, donde está del 22 al 24 de diciembre, escribe a su novia Josefina, a la que quiere traer con él a este lugar: «Es un pueblecito de las afueras de Madrid, donde trabajo escribiendo para las tropas» *(Cartas a J*, 162).

Como testimonio de la actividad cultural y bélica al lado de Valentín González publica Miguel Hernández tres poemas en *Al Ataque*, órgano de la brigada de 'El Campesino', que se llama desde el segundo número «Brigada Móvil de Choque». Son éstos «El Campesino» (núm. 1, 9 de enero de 1937), «Digno de ser comandante» (núm. 4, 30 de enero de 1937) y «Memoria del Quinto Regimiento»

y el día de hoy amanece
justamente aborrecido,
y sangriento justamente.
En su mano los fusiles
leones quieren volverse
para acabar con las fieras
que lo han sido tantas veces.
Aunque te falten las armas,
pueblo de cien mil poderes,
no desfallezcan tus huesos,
castiga a quien te malhiere
mientras que te queden puños,
uñas, saliva y te queden
corazón, entrañas, tripas,
cosas de varón y dientes.
Bravo como el viento bravo,
leve como el aire leve,
asesina al que asesina,
aborrece al que aborrece
la paz de tu corazón
y el vientre de tus mujeres.
No te hieran por la espalda,
vive cara a cara y muere
con el pecho ante las balas,
ancho como las paredes.
Canto con la voz de luto,
pueblo de mí, por tus héroes:
tus ansias como las mías,
tus desventuras, que tienen
del mismo metal el llanto,
las penas del mismo temple
y de la misma madera
tu pensamiento y mi frente,
tu corazón y mi sangre,
tu dolor y mis laureles.
Antemuro de la nada
esta vida me parece.
Aquí estoy para vivir
mientras el alma me suene,
y aquí estoy para morir,
cuando la hora me llegue,
en los veneros del pueblo
desde ahora y desde siempre.
Varios tragos es la vida
y un solo trago es la muerte.

El poeta Miguel Hernández, recitando ante sus compañeros en un frente de Extremadura. (Foto Altavoz del Frente.)

Miguel Hernández, poeta y soldado

VIENTO DEL PUEBLO

Sentado sobre los muertos
que se han callado en dos meses,
beso zapatos vacíos
y empuño rabiosamente
la mano del corazón
y el alma que lo mantiene.
Que mi voz suba a los montes
y baje a la tierra y truene,
eso pide mi garganta
desde ahora y desde siempre.
Acércate a mi clamor,
pueblo de mi misma leche,
árbol que con tus raíces
encarcelado me tienes,

que aquí estoy yo para amarte
y estoy para defenderte
con la sangre y con la boca
como dos fusiles fieles.
Si yo salí de la tierra,
si yo he nacido de un vientre
desdichado y con pobreza,
no fué sino para hacerme
ruiseñor de las desdichas,
eco de la mala suerte,
y cantar y repetir
a quien escucharme debe
cuanto a penas, cuanto a pobres,
cuanto a tierra se refiere.
Ayer amaneció el pueblo
desnudo y sin qué ponerse,
hambriento y sin qué comer,

Le escuchan sus compañeros, los soldados. Frente de ___. Después de romance, le oirán recitar "Escoged esta voz", "El niño yuntero" o "Jornaleros". ¿Qué saben de él los que le escuchan? ¿Qué sabemos de él los que le hemos seguido en las revistas "Cruz y Raya" y "Revista de Occidente", que publicaban sus versos? Sabemos que es de Orihuela, de Alicante; que es hijo de unos pobres pastores de cabras y que también él ha cuidado el ganado y labrado la tierra; que aprendió las primeras letras en una escuela de su pueblo nativo; que bien pronto se dió, ardientemente, a la lectura, primero de novelas por entregas, y luego, en la biblioteca de un círculo obrero, de los clásicos castellanos. Más tarde, tendrían que verse la gravedad de las octavas de Góngora y Calderón y la dulzura de Garcilaso. Como a tantos jóvenes cordiales de muchas provincias españolas, las lecturas de los poetas contemporáneos Juan Ramón Jiménez y Antonio Machado le exaltaron. Estas lecturas y las de Góngora, con ocasión del centenario, en 1927, fecha decisiva para las últimas promociones literarias, constituyeron su formación primera.

Su producción poética, que publicó primero en un periódico local y que continuó a lo largo de su primer libro, de 1933, escrita bajo el recuerdo de Góngora; de un auto sacramental editado en 1934, en el papel de color de la revista "Cruz y Raya"; de un libro de sonetos que lleva por título "El rayo que no cesa", no se ha interrumpido con la guerra. Cuando estalló ésta, Miguel Hernández se inscribió en el 5.º Regimiento. En un principio trabajó en la construcción de fortificaciones, pero luego, destinado a Infantería, ha combatido como miliciano en la brigada del "Campesino". Tiene veinticinco años. Miguel Hernández ofrenda hoy el fusil con la pluma y las recitaciones. ¿Quién no ha leído sus versos últimos, en "El Mono Azul", "Al Ataque", "Frente Sur", "Ayuda"? ¿o los periódicos murales? No sabemos si su afán por su vida pobre, áspera y difícil o por aquella su encendida—condición tan española—de saberse hierba aunque sea encina; pero ningún poeta de esta hora de España aminorana tanto al lector o al oyente con la entraña del pueblo español como el poeta y soldado Miguel Hernández.

Miguel Hernández recitando en el frente

(núm. 5, 6 de febrero de 1937). Resulta curioso que estos tres poemas estén escritos en romance octosílabo, el metro preferido para la poesía de los primeros meses de la guerra, muy divulgado desde las páginas de *El Mono Azul* y otras hojas de los frentes. Los tres romances surgen de un clima de fervor que empuja a cantar en tono épico la hombría de un auténtico héroe del pueblo en lucha.

A este periodo de actividad en diversos frentes alrededor de Madrid corresponden una serie de prosas también aparecidas en *Al Ataque* desde el 16 de enero al 27 de febrero de 1937. En ellas enardece los ánimos para la lucha e instruye a los campesinos y obreros entregados al duro combate: «Yo seguiré cantando, con un fusil y un romance, las proezas dignas de ellos»... «Que los cuarteles, los campos, las trincheras y las bocas truenen llenos de canciones de aliento heroico» (PPG, 101). Son páginas que evocan el estado de ánimo de que surgieron diversos poemas de guerra. En una «Carta abierta a Valentín González 'El Campesino'», fechada el 21 de febrero de 1937, se despide del héroe popular y le confiesa:

> Estoy orgulloso, 'Campesino', de que mi nombre vaya escrito entre los nombres de los hombres que te acompañan, y no quiero que lo borres de tus listas. Estoy orgulloso de haber peleado a tus órdenes con un fusil, y a ti vuelvo la memoria y la mirada para aprender a diario dignidad, generosidad, bravura, sencillez... Yo seré el poeta dispuesto a empuñar el fusil y a empuñar el romance cuando lo creas conveniente, dispuesto a morir a tu lado: dispuesto a que mi voz sea la que nuestro pueblo mueve sobre nuestra garganta (PPG, 126).

Hacia el 20 de febrero de 1937 anuncia a Josefina su próxima salida para Andalucía (*Cartas a J,* 176) al ser nombrado jefe del altavoz del frente, en la Primera Brigada Móvil de Choque, que actúa en Jaén a las órdenes del célebre 'Comandante Carlos', el voluntario italiano Vittorio Vidali. Así lo confirma éste en una entrevista:

> Sí, Miguel Hernández estuvo muy activo. Él estuvo conmigo durante toda la defensa de Madrid. Después vino, lo

llevé a Jaén, donde formamos el Frente Sur, que era también un organismo de intelectuales encargados de la propaganda en campo enemigo. Y después vino conmigo a Castro del Río a organizar los guerrilleros que trabajaban en el campo enemigo. De hecho hay una foto de Miguel sobre un camión levantado, donde Miguel habla y recita sus poemas[4].

El altavoz del frente solía estar en manos del comisario político y Miguel debió serlo en el frente sur. De hecho el poeta, ya el 26 de noviembre de 1936, escribía a su novia Josefina: «no hay peligro para mí, y menos ahora. Soy el comisario-político», título que corrige unas líneas más abajo y lo llama «comisario de guerra» (*Cartas a J,* 154), aludiendo poco después a su «labor de comisario» (*Cartas a J,* 157). Según Leopoldo de Luis, el altavoz tenía tres formas fundamentales de actuar: en las zonas de retaguardia, en las trincheras o también «instalando sus altavoces en los mismos frentes, dirigidos hacia las trincheras contrarias para hacerse oír por los soldados adversarios». Siempre se recurría, entre otras cosas, a la recitación de poemas (OPC, 287). A Miguel se le ofrece una oportunidad sin igual de blandir su poesía, esta vez de una manera más directa, como arma política y bélica. Viaja por la retaguardia, visita la línea de fuego y se dirige a los campesinos del frente enemigo:

Campesino, despierta,
español, que no es tarde.
A este lado de España
esperamos que pases («Campesino de España»).

Comparado con la dureza de la lucha en torno a Madrid, el frente sur, en que actúa ahora, significa, como se ha notado, una amenaza menos inmediata y una mayor tranquilidad, que le permite realizar su boda, el 9 de marzo de 1937 en Orihuela, y volver inmediatamente a Jaén con su esposa. Miguel visita las trincheras, pero se ocupa también de

---

[4] De un artículo, hasta hoy sin publicar, puesto a mi disposición por su autor, Anthony Geist: «Una cultura de guerra: Entrevista con el 'Comandante Carlos'».

alentar los ánimos en la retaguardia a través de charlas y arengas a la tropa y a los campesinos. Así se confirma en ciertos apuntes tomados de prisa, con frecuentes garabatos, descubiertos en los archivos del poeta.

En este escenario andaluz en torno a Jaén hay que situar numerosos poemas de *Viento del pueblo* y su ciclo, y abundantísimas composiciones en prosa que nos ofrecen la realidad social e histórica, la pobreza y dura vida del campesino andaluz como ambientación de esta poesía de propaganda. Así las páginas de «La ciudad bombardeada» recogen un trágico acontecimiento para sacudir la indiferencia y somnolencia de los habitantes de Jaén, quienes pasivamente contemplaban la guerra «como un espectáculo» sin dar pleno crédito a los sucesos de Madrid y de otros frentes. «Jaén tenía un corazón casi sordo, casi ciego, casi insensible a las generosas oleadas de sangre» que se derramaban en toda España (PPG, 140). Ahora, tras el bombardeo, «sus mujeres han de alzar el puño crispado, colérico, cuando los trimotores negros vengan a asesinarlas sobre la capital de la aceituna» (PPG 142).

Una especie de raciocinio paralelo, y también una estructura semejante, constatamos en los poemas «Jornaleros», «Campesino de España» y «Aceituneros». En ellos las penalidades de siglos de pobreza y duro trabajo llevan al poeta a prorrumpir en un grito de revuelta:

> Jaén, levántate brava
> sobre tus piedras lunares,
> no vayas a ser esclava
> con todos tus olivares.

Miguel se plantea el sentido de la guerra para estos campesinos andaluces en un ensayo hasta hace poco desconocido, publicado por A. Sánchez Vidal, que aclara el mensaje de tantos poemas:

Ha sido una existencia muy arrastrada la suya hasta hoy. Apenas salía del vientre de su madre cuando empezaba a probar el dolor. En cuanto ha sabido andar, ha sido arrojado al

> trabajo, brutal para el niño, de la tierra. El hambre le ha mor-
> dido a diario. Los palos han abundado sobre sus espaldas...
>
> Hoy, el aceitunero, el minero, el mulero, el labrador, que
> han trabajado estérilmente jornadas de catorce y dieciséis ho-
> ras, se juegan en esta guerra mucho más: no se trata sólo de la
> independencia de España. El trabajador español se juega hoy,
> por todos los trabajadores del mundo, su porvenir y el de sus
> hijos (TMV, 207, 209).

El sufrimiento milenario de una vida de opresión será el
poderoso estímulo que incitará a la lucha. Por ello el poeta
canta «las manos puras de los trabajadores», que labran los
campos, construyen y luchan contra otras manos, que
«empuñan crucifijos y acaparan tesoros» («Las manos»).
Canta también el trabajo y el sudor, que ennoblece y ador-
na los cuerpos como «vestidura de oro de los trabajadores»
(«El sudor»).

Podemos decir que la primavera de 1937 es todavía para
Miguel Hernández época de combatividad y espíritu bélico, que encarna en versos de gran vigor. El poeta, confiado en la razón y fuerza de su causa, recurre a la palabra encendida para inyectar nuevo ímpetu a la lucha. En el mes
de marzo de 1937, y tal vez en un supremo intento deses-
perado, escribe dos poemas que revelan un vasto plan para
dar el empujón definitivo que les debía conducir a la victoria. Son «Llamo a la juventud» y «Recoged esta voz», ambos publicados en *Nueva Cultura,* núm. 1, marzo de 1937.
El primero es una llamada de urgencia a jugárselo todo, incluso la vida, en esta lucha titánica. Sólo la juventud podrá
conducir a la victoria final:

> La juventud siempre empuja,
> la juventud siempre vence,
> y la salvación de España
> de su juventud depende.

Este grito a la juventud se complementa, en «Recoged esta
voz», con una llamada a las naciones, a los pueblos, a los
hombres del mundo entero. Desde su voz angustiada pro-
testa contra los que atropellan, destruyen y siembran la

29

muerte, pintando un vasto panorama de dolor y sangre capaz de despertar las simpatías de pueblos y naciones. El desaliento parece apoderarse del poeta:

> España no es España, que es una inmensa fosa,
> que es un gran cementerio rojo y bombardeado.

La República necesita armas y apoyo exterior. El poeta pide a todas las naciones esa ayuda imprescindible y confía con firmeza que los «hombres del trabajo», herreros, albañiles y yunteros, serán capaces de convertir en realidad la gran utopía:

> Ellos harán de cada ruina un prado,
> de cada pena un fruto de alegría,
> de España un firmamento de hermosura...

El poeta necesita creer en el milagro de la victoria.

A estos meses de estancia en el frente sur corresponde la participación de Miguel Hernández en el asalto y rendición del santuario de la Virgen de la Cabeza (Andújar, Jaén), como confirma en su discurso del Ateneo de Alicante: «Asistí a la toma del Santuario de la Virgen de la Cabeza» (Ramos, 45). Así nos lo cuenta en una de sus mejores páginas de prosa de guerra: «La rendición de la Cabeza» (PPG, 149-56). Lo narra como testigo que tomó parte en los diversos momentos de la acción militar. La experiencia intensamente vivida de aquel hecho trascendental, que tuvo lugar el día primero de mayo de 1937, se echa de ver en el gran interés que logra prestarle el narrador con su estilo ágil, rápido e incisivo, y con la actitud de simpatía humana y generosidad con todos, que dan calor a su prosa sencilla. La narración, en primera persona, tiene la inmediatez y vivacidad de los acontecimientos evocados por un testigo presencial.

Miguel, que goza de amplio prestigio, dispone de una gran movilidad dentro del territorio republicano. A mediados de junio de 1937 está en Castuera (Extremadura), pero también lo sorprendemos brevemente en Madrid, Alicante, Valencia, Jaén, etc.

En el verano de 1937, Miguel Hernández, que acaba de publicar *Teatro en la guerra,* es invitado a formar parte de la delegación que va a representar a España en el V Festival de Teatro Soviético. El 29 de agosto salen para París, desde donde vuelan hacia Estocolmo. Es a lo largo de este impresionante primer vuelo, o durante su breve estancia en la capital sueca, cuando compone su poema «España en ausencia»:

> Me empuja entre celajes de hermosura,
> por Francia, Holanda, Dinamarca y Suecia,
> a la Rusia que sueño...

Si le impresionan los maravillosos juegos de color y luces, mientras el avión se abre camino entre las nubes, el mundo exterior queda poco a poco eclipsado ante la obsesiva preocupación por España en guerra, que es evocada como una angustiosa pesadilla: su pueblo asediado, sus hogares ensangrentados y el lugar donde le aguarda su esposa con el hijo. En la entrevista con el diario soviético *Izvestia* los visitantes comentan que vienen a aprender la maestría en la ejecución artística para ponerla al servicio del pueblo. El 5 de octubre, tras la permanencia de un mes en la Unión Soviética, rica de encuentros y viajes, el grupo embarca en Leningrado, tocando los puertos de Kiel y Copenhague, hacia Londres, París y Barcelona. Fruto de este viaje son también los poemas «Rusia» y «La fábrica-ciudad», que el poeta incluye en *El hombre acecha,* dejando sin definir sus intenciones en cuanto a la pertenencia de «España en ausencia».

Tras este largo viaje y una estancia de descanso en Cox con su mujer, que pronto espera dar a luz, la urgente situación militar de la República exige su presencia en el frente de Teruel, donde se prepara el asalto que será el último gran triunfo de la República y al fin una derrota definitiva. Miguel pertenece a la 11 División, de Líster, escogida para dar el primer ataque (Aznar, II, 361-64). En una hermosa página de prosa, poco conocida, describe la primera semana de operaciones (del 13 al 19 de diciembre de 1937):

En las sierras de Teruel, alturas donde se registran las menores temperaturas de España, los soldados de la 11 División han observado y observan una conducta de metal inquebrantable. Una semana victoriosa ha sido para ellos esta semana que termina. La nieve, el frío, el viento, el enemigo, se han clavado con intensidad en estos días de diciembre y en estas crudas sierras, dispuestos a devorar las orejas, a cuajar el aliento, a llevarse el calor de estos soldados. La nieve, el frío, el viento, el enemigo, han combatido el espíritu de piedra que los arma, pero no han conseguido ablandar ni han hecho desfallecer esta piedra roja, furiosa y cálida, a pesar de los esfuerzos de la nieve, del frío, del viento, del enemigo, por dejarla blanca, helada, deshecha.

Los soldados de la 11 División aceptan firmemente, alegremente, los más rudos combates con el fascismo y con los elementos más terribles del invierno...

Si los buscáis, los encontraréis entre las balas y las explosiones; firmes en sus puestos. Si los buscáis, los encontraréis en medio de la nieve, atacados por ésta, derritiéndola con el entusiasmo y la alegría; firmes en sus puestos. Si los buscáis, los encontraréis dentro del invierno, del viento, del frío, encendidos como las hogueras; firmes en sus puestos. Si los buscáis los encontraréis conquistando pueblos al fascismo, arrebatando armas y campos al fascismo, salvando hombres, mujeres, niños, España del fascismo: firmes en los puestos que les ha señalado la voz de su comandante. Firmes en sus puestos (Líster, 309).

El poeta de Orihuela canta esta experiencia en el poema «Teruel». En él se percibe un tono que difiere considerablemente del de las composiciones centrales de *Viento del pueblo* y que ya presagia *El hombre acecha*. Si se celebra el triunfo, también se recuerda que es el triunfo sobre las ruinas:

> Sobre el cadáver de Teruel te impones...
> Teruel como un cadáver sobre un río...
> ... cerca de aquel cadáver con escamas...
> Aquel cadáver defendió su escudo,
> su muladar, su herrumbre, su leyenda,
> pero la vida prevalece y pudo.

Si se canta la victoria, se reconoce que ésta ha sido muy sangrienta:

> En su sangre se envuelve la victoria.

La tremenda realidad de la guerra, el desgaste de vidas e ilusiones, la feroz lucha de la conquista de Teruel, va apagando en la poesía de guerra todo aire de triunfo, todo tono de optimismo y esperanza.

El arte y la guerra: teoría y praxis

Durante los meses de verano y otoño de 1937, Miguel Hernández, que por razones varias (salud, familia, misiones intelectuales, actividad literaria, viaje a la Unión Soviética, etc.) vive bastante alejado de los frentes, tiene tiempo para reflexionar con mayor serenidad sobre la misión de las artes —poesía, drama, pintura, artículo periodístico— en esta guerra que le ha tocado vivir. En julio toma parte en el II Congreso Internacional de Escritores para la Defensa de la Cultura, que se celebra en Valencia. En él se estudia y discute la misión del escritor y su compromiso histórico con el acontecer contemporáneo. Un grupo de escritores españoles colaboran en la *Ponencia colectiva,* que redacta Arturo Serrano Plaja y se publica en *Hora de España* (núm. 8, agosto de 1937). Es la proyección de un año de experiencia bélica en las trincheras y en los medios de propaganda. Miguel Hernández la suscribe, por lo que podemos asumir que refleja, en general, el modo de entender su papel de poeta y escritor durante los meses en que compone *Viento del pueblo* y otras obras del ciclo bélico.

Los firmantes de esta *Ponencia colectiva* rechazan todo arte que sea revolucionario sólo en su forma, un cuadro que se reduzca a pintar un obrero con el puño levantado o con una bandera roja. Estos son puros símbolos y aquí lo que se busca son realidades. A una «simbología revolucionaria» prefieren ellos la expresión de una «realidad revolucionaria», porque la revolución no sólo es un símbolo, sino un sentido de la vida y del hombre, un «contenido esencial» vivo y complejo. Pintar o escribir en un lenguaje simbólico implicaría «que hay que emperifollar algo que realmente no necesita de afeites». Por eso ellos declaran que su «máxima aspiración es la de expresar fundamentalmente esa realidad, con la que nos sentimos de acuerdo poética, política y filosóficamente». Las ideas del realismo socialista resuenan, a veces vagamente, en los pronunciamientos y declaraciones de numerosos intelectuales antifascistas, provocando con ello una poesía donde se canta «la realidad implacable de la guerra», en agudo contraste con la retórica de la zona nacionalista, que tiende a silenciar esta «sangrante realidad» en una ofuscadora humareda de mitos grandiosos y bellas palabras[5].

Miguel Hernández había salido del pueblo y trataba de mantenerse próximo a él para contagiarse de su fervor y sentir intensamente sus vibraciones. También se vio profundamente envuelto en estas controversias de los intelectuales, pero desde la perspectiva muy personal que le daba su experiencia en las trincheras. En su viaje a la Unión Soviética, de fines de agosto a primeros de octubre de 1937, celebró encuentros con poetas, dramaturgos, directores de revistas y otros intelectuales rusos, y tuvo la oportunidad de reflexionar sobre la función del arte al servicio de una causa política, tema obligado de todas estas reuniones en aquellas peculiares circunstancias[6].

Como resultado de estas experiencias, conversaciones, y

---

[5] Una formulación más detallada de este tema puede verse en J. Cano Ballesta, «El enfrentamiento de dos retóricas: la poesía de la guerra civil», en *Entre la cruz y la espada. Homenaje a Eugenio de Nora,* ed. J. M. López de Abiada (Madrid, Gredos, 1984), 75-85. Las retóricas tan dispares de los dos bandos han sido estudiadas, parcialmente, por varios autores entre los que merece destacar a J. A. Pérez Bowie, Miguel Ángel Rebollo Torío, Julio Rodríguez Puértolas, José Carlos Mainer, Rei Berroa, Natalia Calamai, Concha Zardoya, Marilyn Rosenthal y otros varios.

[6] Este viaje a la Unión Soviética lo estudio detalladamente en mi trabajo «Una imagen distorsionada de Europa: Miguel Hernández y su viaje a la Unión Soviética», *Revista del Instituto de Lengua y Cultura Españolas,* Pamplona, Universidad de Navarra, I, 2, 1985, 199-210.

Miguel Hernández en una de las sesiones de trabajo del «Quinto festival de Teatro Soviético», Moscú, septiembre de 1937

de los intensos contactos con la gran riqueza artística que encuentra en Rusia (ballet, teatro para niños, efectos escénicos, museos y pinacotecas), escribe «Hay que ascender las artes hacia donde ordena la guerra», que publica en el diario de Alicante *Nuestra Bandera,* en noviembre de 1937. El artículo ofrece breves consideraciones sobre el momento histórico que España está viviendo, tan cargado de experiencias y emociones intensas, que se convierte en una «inagotable y dura cantera» de obras permanentes. Esta lucha —según el poeta— revela al hombre en su desnudez y lo hace transparente, facilitando en el artista el esfuerzo para crear obras de un intenso humanismo. Miguel Hernández dice no a la frivolidad de las modas y a los juegos de vanguardia —tal vez haciéndose eco de declaraciones oídas en la Unión Soviética —y propone orientar la obra de arte en torno a esta humanidad «en plena conmoción». Hacia el fin expresa su esperanza y confianza en los hombres que van a dar forma a las artes del futuro:

> Los hombres de la pintura, la escultura, la poesía, las artes en general, se ven hoy en España impelidos hacia la realización de una obra profundamente humana que no han comenzado a realizar todavía. Yo veo a los pintores, los escultores, los poetas de España empeñados en una labor de fáciles resoluciones, sin el reflejo mejor de los problemas que la situación de este tiempo ha planteado. Advierto a estos hombres llenos de una frivolidad artística heredada de otros hombres, artistas de relumbrón, excéntricos en pintura, escultura, poesía, arte en general. Veo que los pintores temen a la pintura, la rehúyen y se entregan a juegos ya en desuso del cubismo y sus provocadores. A los escultores, a los poetas les sucede lo mismo. Les falta consistencia espiritual, formalidad que decimos. Veo que los hombres de España, con ambiciones creadoras, cierran los ojos y el corazón a la latente realidad que los rodea y les acosa, vestidos de un egoísmo de barro sucio, impenetrable por una voluntad mezquina de serlo.
>
> En medio de esta realidad han aparecido libros, revistas, obras de arte que demuestran lo ajenos que se encuentran sus autores de ella. Pero mi confianza en el porvenir de España me hace tenerla en quienes han de dar cauce bueno en ese

porvenir, y espero que las artes empiecen a ascender hacia donde ordena el pueblo español victorioso y conmovido[7].

Miguel Hernández señala con el dedo a los escritores que cierran sus ojos a la tremenda realidad que los rodea. Denuncia la frivolidad de ciertos artistas excéntricos: «Veo que los pintores temen a la pintura, la rehúyen y se entregan a juegos ya en desuso del cubismo y sus provocadores.» Miguel está denunciando con ello nada menos que al mismo Pablo Picasso y está aludiendo claramente al «Guernica», expuesto unos meses antes en la Exposición Universal de París, que tal vez él lograra ver a su paso por la capital francesa. En una cuartilla suelta, que encontré en los archivos del poeta en agosto de 1985, reproduciendo la misma frase que citábamos antes, hallé escrito: «Los pintores de hoy temen a la pintura, la rehúyen. Picasso es un ejemplo.» De hecho Miguel está acusando a Pablo Picasso de intelectualizar y hacer abstracto lo real, reproche que posteriormente han repetido prestigiosos críticos como Bram Dijstra[8]. El poeta de Orihuela aboga en aquel momento por un arte próximo al llamado «realismo socialista», del que Picasso ciertamente estaba muy lejos, y proclama que no existe tema artístico tan conmovedor y digno como esta guerra.

Toda la obra bélica de Miguel Hernández, de la cual *Viento del pueblo* es la primera y más significativa muestra, responde, en sus líneas generales, a este fondo teórico. El poeta de Orihuela recurre a una gran variedad de registros, y toma parte muy activa en la movilización poética de la contienda relatando hazañas heroicas o encendiendo en la tropa el fervor bélico contra el fascismo. Poemas y romances suyos se publican en *Viento del pueblo* (1937), pero además aparecen impresos, otras 92 veces que hayamos podido contabilizar, en folletos, hojas volantes, revistas del

---

7 Este artículo, aparecido en *Nuestra Bandera,* núm. 118, 21 de noviembre de 1937, lo publiqué en PPG 171-78.

8 Bram Dijstra, «Painting and Ideology: Picasso and Guernica», *Praxis,* 3 (1976), 141-50.

frente o periódicos. Esta cifra habría que multiplicarla por la tirada de cada publicación. A su vez las mismas poesías son recitadas indefinidamente, por el mismo Miguel Hernández o por otros, ante los soldados, en altavoces del frente o de la retaguardia y en diversas emisiones de radio. No es sólo la palabra escrita la portadora de sus mensajes, es —como dice Salaün— la oralidad en su viva y plena efervescencia, con toda su potencia para «desencadenar el funcionamiento épico de las instituciones» lo que Miguel pone al servicio de la causa (PGE, 114-15).

Pero el poeta de Orihuela no se contenta con esto. Recurre también al teatro de urgencia escribiendo sus piezas de *Teatro en la guerra* (La cola, El hombrecito, El refugiado, Los sentados), que apareció en el verano de 1937, como expresión de un «poeta revolucionario» (en sus propias palabras) que cultiva un «teatro hiriente y breve» en respuesta a la provocación de la guerra:

> La gran tragedia que se desarrolla en España necesita poetas que la contengan, la expresen, la orienten y la lleven a un término de victoria y de verdad (OC, 808).

Es una conciencia de participación como intelectual la que le mueve a poner en acción todos los medios para orientar y empujar la contienda hacia un desenlace feliz.

Agotando todas sus posibilidades, M. Hernández aporta su esfuerzo a aumentar el ardor combativo en la defensa de Madrid componiendo la letra a tres canciones «exaltadoras de la lucha heroica del pueblo español contra el fascismo». Las tres son incluidas en esta edición. En ellas el mensaje poético cobra formas más eficaces y multitudinarias. A dos les pone música Lan Adomian, «compositor y excombatiente de las Brigadas Internacionales». Sus títulos son: «Las puertas de Madrid» y «La guerra, madre, la guerra».

Otros poemas del ciclo de «Viento del pueblo»

En la órbita de *Viento del pueblo* giran una serie de poemas que no se incluyeron en él y que añadimos al fin en un apéndice. Algunos aún no habían sido escritos cuando se publicó el libro, otros, ya compuestos, fueron expresamente excluidos por razones que a veces podemos adivinar, pero que en ningún lugar se nos declaran. Todos ellos corresponden a fechas anteriores a mayo de 1938, en que comienza a gestarse *El hombre acecha*. Podemos, pues, decir que el grupo de obras que constituyen el ciclo de *Viento del pueblo* se extiende desde septiembre de 1936 hasta, más o menos, marzo de 1938, año y medio de lucha en los frentes y de utilización de la poesía como agresiva arma de combate.

Entre los poemas excluidos hay algunos que, considerados cuidadosamente, nos sugieren el tipo de libro que el poeta trataba de formar y por qué no encajaban en él algunos de ellos. Así, «Las abarcas desiertas», publicado en *Ayuda* el 20 de enero de 1937 con motivo del reciente día de Reyes, es una poesía infantil, que ni por el metro ni por el contenido cuadra en un libro que pretende mantener la entonación épica y el espíritu combativo.

Precisamente este tono heroico, que sospechamos esencial al libro, nos plantea el problema de por qué Miguel Hernández no incluyó en *Viento del pueblo* los romances «El Campesino», «Digno de ser comandante» y «Memoria del Quinto Regimiento», aparecidos en *Al ataque* en enero y febrero de 1937. Esto resulta sorprendente, si notamos que son romances y que surgen de un clima de entusiasmo en torno a un héroe del pueblo. Tal vez el poeta estaba más preocupado por diseñar un libro de alta calidad, interés general y amplitud geográfica, que diera aliento a los soldados de todos los frentes. Los tres romances son, ciertamente, de carácter demasiado circunstancial y personal.

Tanto «Andaluzas» (*Frente Sur,* 15 de abril de 1937) como la «Canción del antiavionista» (*Lucha,* 22 de mayo

39

de 1937) pertenecen de lleno al periodo en que se está gestando *Viento del pueblo*. De hecho hay poemas en el libro compuestos en fecha aún posterior. «Andaluzas» pudo parecerle al poeta no suficientemente importante y la «Canción del antiavionista» tal vez no le satisfacía por su calidad poética o por su atmósfera lúgubre, carente del tono alentador que predomina en el libro.

Los siguientes poemas pertenecen a fechas que hacen imposible su inclusión en *Viento del pueblo*. «España en ausencia», que data de su primer vuelo en avión (París-Estocolmo, 31 de agosto de 1937), «Teruel» (diciembre de 1937) y «Canción de la ametralladora», surgen de circunstancias y preocupaciones bélicas y pertenecen a *Viento del pueblo* más que al libro siguiente[9].

«Las puertas de Madrid» responde claramente al espíritu bélico del libro —como «La guerra, madre, la guerra»— exaltado con la musicalización de Lan Adomian. Aunque resulta probable que fuera una de las canciones usadas en los días críticos del asedio y defensa de Madrid en noviembre de 1936, y así lo supone A. Sánchez Vidal (OC, CXL), de hecho se publica por primera vez en 1938. Va acompañada de un artículo «Canciones de la defensa de Madrid» de Carlos Palacio, en que, sin llegar a afirmarlo, parece sugerir por el contexto su composición en el otoño de 1936:

> Poetas y músicos se han inspirado en la gloriosa defensa de Madrid. Hans Eisler compuso la música, en noviembre de 1936, para las letras que Herrera Petere escribió con el título «No pasarán» y «Quinto Regimiento»; Miguel Hernández y Plá y Beltrán son autores de unas canciones con Lan Adomian, compositor, excombatiente de las Brigadas Internacionales. Canciones exaltadoras, como la de Ortega Arredondo de la lucha en la Casa de Campo, del espíritu invencible de los madrileños... (*Comisario*, Madrid, núm. 3, 3 de noviembre de 1938, 50).

---

[9] Así lo piensan M. de G. Ifach (MHR 215) y Serge Salaün, que considera «España en ausencia», «Andaluzas» y «Canción de la ametralladora» como pertenecientes «por la forma» a *Viento del pueblo* («Individualidad», 198).

Incluyo igualmente una tercera composición «[Letrilla de una canción de guerra]», que A. Sánchez Vidal considera canto de «exaltación bélica» rescatándolo del *Cancionero y romancero de ausencias,* donde se solía publicar. Con los poemas de *Viento del pueblo* tiene en común el espíritu combativo y el ímpetu juvenil de los mozos que ansían unirse a la lucha, como queda resaltado en el drama *Pastor de la muerte* (OC, 854).

Por último el «Canto de independencia» reproduce, tal vez en un tono opaco y apagado, la agresividad y el espíritu conquistador de «un joven ejército». Bajo el título «Voz del poeta» cierra el drama *Pastor de la muerte* y podemos ponerlo también nosotros como broche de oro de este libro y de su ciclo de poemas de guerra. Pudo ser compuesto en los primeros meses de 1938, o anteriormente, como piensan Balcells y Sánchez Vidal (PC, 818), e incorporado después al drama.

Se ha atribuido a Miguel Hernández, sin darnos suficientes pruebas precisas, el «Romance del 5 de noviembre»[10], supuestamente compuesto en 1936. Jesucristo Riquelme asegura que se trata de un romance «firmado por Miguel Hernández» y que fue escrito «para festejar la derrota de los fascitas el día 5 de noviembre de 1936 por la Compañía de Aviación mandada por el Comandante Galán (Francisco Galán), en la sierra madrileña. El original fue remitido a Galán y una copia ha sido conservada por Julián Aparicio Alonso, miembro de dicha compañía» (109). No se nos dice quién posee ese original en la actualidad, si es mecanografiado o manuscrito, o en qué consiste la firma del poeta. Parece ser que lo que ha manejado el autor es una copia. Nuestras dudas aumentan al leer el citado poema.

El metro romance no haría sino reforzar la tesis de Riquelme, ya que el otoño de 1936 es el momento de mayor

---

[10] Me refiero al artículo de Jesucristo Riquelme, «Apócrifos y hallazgos bibliográficos sobre Miguel Hernández (1919 [sic]-1942)», *Canelobre,* Revista del Instituto Juan Gil-Albert, Alicante, núm. 6, primavera de 1986, págs. 107-114.

fervor romancístico en el Madrid republicano y Miguel se siente envuelto en él. Nos sorprende, sin embargo, la imitación servil de textos conocidísimos de F. García Lorca de *Poema del cante jondo* y *Romancero gitano*. Presento algunos:

La peña del Alemán tiene las piedras bermejas	El río Guadalquivir tiene las barbas granates (Baladilla de los tres ríos)
Paso ligero, de a uno, cruzan por la carretera; los cartuchos impacientes, saltan en las cartucheras	Con el alma de charol vienen por la carretera... Un rumor de siemprevivas invade las cartucheras...
¡Sube, Aviación, que haces falta! ¡Sube, Aviación, de tierra!... ¡Vete, Galán, no haces falta! ¡Vete que la muerte acecha... ¡Míralo por donde viene!	¡Preciosa, corre, Preciosa, que te coge el viento verde! ¡Preciosa, corre, Preciosa!

La interpelación al personaje de la narración y otros ecos tan directos de Lorca son totalmente extraños a romances de guerra del otoño de 1936 como «Sentado sobre los muertos» y «Vientos del pueblo me llevan» de M. Hernández, donde percibimos una pujanza y eficaz formulación de temas bélicos que no armoniza con este poema. La inspiración pobre y de corto alcance de que éste adolece, y algunos versos de gran dureza, carentes de agilidad y gracia, no nos recuerdan, ni lejanamente, al poeta de la espontaneidad vigorosa y elocuente, aunque no siempre certera. Por otra parte, no me consta que Miguel estuviera en Buitrago o en sus cercanías donde se sitúa la acción, durante los días de la batalla de Madrid hacia el 7 de noviembre de 1936. Nos consta que participó en estas luchas por otros frentes, según el mismo poeta cuenta: «Los terribles días de noviembre me cogieron con él [El Campesino] y sus soldados en los alrededores de Madrid: Boadilla del Monte, Pozuelo. Sufrimos hambres y derrotas» (PPG 174-75). Aunque dedica varias prosas de guerra a recordar aquellas fechas, nunca alude a la Peña del Alemán o a estas hazañas de la aviación republicana (PPG, 173-76, 179-80).

La gran variedad de poemas de esta edición, con sus metros y ritmos cambiantes, su riqueza de alusiones históricas y su amplia gama de tonos, son el resultado de los imperativos de un momento y de las preocupaciones del escritor. Literatura e ideales humanos, arte, vida e historia, permanecen fundidos para siempre en estas obras, que son para las nuevas generaciones el testimonio de un acontecimiento extraordinario y trágico que hizo palpitar febrilmente los corazones de la comunidad y del poeta profundamente arraigado en ella. La poesía de *Viento del pueblo* es la expresión íntima y vigorosa de un poeta que lucha activamente en los frentes, comparte la existencia diaria de los milicianos, vive en aquel momento la honda experiencia del amor y de la paternidad, y trata al mismo tiempo de convertirse en portavoz y guía de su pueblo envuelto en una sangrienta lucha.

Nota sobre esta edición

El texto de *Viento del pueblo* reproduce fielmente la primera edición de Ed. 'Socorro Rojo', acabada de imprimir en Valencia por Litografía Durá en septiembre de 1937, como dice el colofón del libro. Agradezco a la catedrática Gloria Moreno Castillo el poner a mi disposición el valioso ejemplar. Al mismo tiempo he ido cotejando cada poema con su primera aparición en revistas o publicaciones de la guerra, lo que siempre —como hago constar en las notas— nos conduce a un mejor conocimiento del proceso de composición y a veces aporta revelaciones sorprendentes. Para el resto de los poemas sigo en general su primera publicación en revistas de guerra, o lo indico en nota. En esta imprescindible búsqueda de información tengo que agradecer la valiosa ayuda de Enrique Rubio Cremades y José Carlos Rovira, de la Universidad de Alicante, y de Lucía Izquierdo, heredera de Miguel Hernández, que me facilitaron el acceso a los archivos del poeta. Esta rica colección de documentos, recientemente clasificada por el doctor Rovira y Carmen Alemany Bay, pude consultarla, en el escaso tiempo de que disponía, gracias a la generosa asistencia de estos dos últimos en el Archivo Histórico Municipal de Elche, donde se halla depositada. También quiero mostrar públicamente mi agradecimiento a Francisco Javier Blasco, de la Universidad de Salamanca, y muy en particular a Agustín Sánchez Vidal, de la Universidad de Zaragoza, por su generosa atención a mis abundantes consultas.

Bibliografía

Incluyo en ella las obras que han sido importantes en la redacción de este estudio y las más destacadas sobre el tema. Las citas que aparecen en el texto o en las notas aluden a esta bibliografía mediante el apellido del autor seguido de un número, que es la página, o mediante una sigla con que me refiero a obras muy citadas o de autores representados con varias obras. Al fin de la ficha bibliográfica añado la sigla que suelo usar en la introducción y en las notas.

AZNAR, Manuel, *Historia Militar de la Guerra de España,* Madrid, Editora Nacional, 1969, vol. II.

BALCELLS, José María, «Consideraciones a unas variantes de Miguel Hernández», *Forma Abierta,* Cuadernos de Creación e Investigación Artística, suplemento de la Revista de Estudios Alicantinos, enero de 1974, 21-29. También aparece en la obra que sigue, 190-193.

— *Miguel Hernández, corazón desmesurado,* Barcelona, Dirosa, 1975.

— «De Quevedo a Miguel Hernández», *Revista de Investigación y Ensayos del Instituto de Estudios Alicantinos,* núm. 36, mayo-agosto de 1982, 73-108.

BERROA, Rei, *Ideología y retórica: las prosas de guerra de Miguel Hernández,* México, Libros de México, 1988.

CANO BALLESTA, Juan, *La poesía de Miguel Hernández,* Madrid, Gredos, 1978, PMH.

— y otros, *En torno a Miguel Hernández,* Madrid, Castalia, 1978.

CLARAMUNT LÓPEZ, Fernando, *Azorín, Miró y Hernández, ante el toro,* Alicante, Publicaciones del Instituto de Estudios Alicantinos, 1981.

CHEVALLIER, Marie, *L'homme, ses oeuvres et son destin dans la poésie de Miguel Hernández, Étude thématique,* París, Editions Hispaniques, 1974.

— *La escritura poética de Miguel Hernández,* Madrid, Siglo XXI, 1977.

— *Los temas poéticos de Miguel Hernández,* Siglo XXI, 1978.

DÍEZ DE REVENGA, Francisco J., y MARIANO DE PACO, *El teatro de Miguel Hernández,* Alicante, Caja de Ahorros Provincial de Alicante, 1986.

GARCÍA, Manuel, ed., *Documenta Miguel Hernández,* Valencia, Generalitat Valenciana, 1985.

GUEREÑA, Jacinto-Luis, *Miguel Hernández: Biografía ilustrada,* Barcelona, Destino, 1978.

HERNÁNDEZ, Miguel, *Teatro Completo,* eds. Vicenta Pastor Ibáñez, Manuel Rodríguez Macía y José Oliva, Madrid, Ayuso, 1978, TC.

— *Obras Completas,* ed. E. Romero, Buenos Aires, Losada, 1960, OC.

— *Poesías Completas,* ed. Agustín Sánchez Vidal, Madrid, Aguilar, 1979, PC.

— *El torero más valiente - La tragedia de Calixto - Otras prosas,* ed. Agustín Sánchez Vidal, Madrid, Alianza Editorial, 1986, TMV.

— *Poesía y prosa de guerra y otros textos olvidados,* eds. J. Cano Ballesta y R. Marrast, Madrid, Ayuso, 1977, PPG.

— *Obra Poética Completa,* eds. Leopoldo de Luis y Jorge Urrutia, Bilbao, Zero, 1976, OPC.

— *Las cartas de Miguel Hernández a José María de Cossío,* ed. Rafael Gómez, Santander, Ediciones de la Casona de Tudanca, 1985.

— *Cartas a Josefina,* ed. Concha Zardoya, Madrid, Alianza Editorial, 1988.

Homenaje a Miguel Hernández, Palacio Municipal de La Habana, 20 de enero de 1943.

IFACH, María de Gracia, *Miguel Hernández,* Madrid, Taurus, 1975.

— *Miguel Hernández, rayo que no cesa,* Barcelona, Plaza y Janés, 1975, MHR.

LÍSTER, Enrique, *Memorias de un luchador. Los primeros combates,* Madrid, G. del Toro Editor, 1977.

MONLEÓN, José, *«El Mono Azul». Teatro de urgencia y Romancero de la guerra civil,* Madrid, Ayuso, 1979.

MORELLI, Gabriele, *Miguel Hernández,* Firenze, Il Castoro, 1975.

NICHOLS, Geraldine C., *Miguel Hernández,* Boston, Twayne Publishers, 1978.

Nueva Cultura, Información, Crítica y Orientación Intelectual, Valencia, 1935-1937, Josep Renau, Vaduz, Liechtenstein, Topos Verlag, 1977.

Poetas en la España leal, Madrid-Valencia, Ediciones Españolas, 1937.

PUCCINI, Darío, *Miguel Hernández, Vida y poesía,* Buenos Aires, Losada, 1966.

RAMOS, Vicente, y Manuel MOLINA, *Miguel Hernández en Alicante,* Alicante, Colección Ifach, 1976.

Romancero de la Guerra Civil, serie I, Madrid, Ediciones de la Guerra Civil, 1936.

ROVIRA, José Carlos, *Léxico y creación poética en Miguel Hernández (Estudio del uso de un vocabulario),* Alicante, Universidad de Alicante, 1983.

SALAÜN, Serge, «Miguel Hernández: Pages retrouvées, cinq poèmes, une lettre et une chronique», *Mélanges de la Casa de Velázquez,* París, t. VII (1971), 347-376.

— *La poesía de la guerra de España,* Madrid, Castalia, 1985, PGE.

— «Miguel Hernández: Individualidad y colectividad», en J. Cano Ballesta y otros, *En torno a Miguel Hernández,* Madrid, Castalia, 1978.

SOREL, Andrés, *Miguel Hernández, escritor y poeta de la revolución,* Madrid, Zero, 1976.

TORRIENTE-BRAU, Pablo de la, *Peleando con los milicianos,* ed. Santiago Tinoco, Barcelona, Laia, 1980.

ZARDOYA, Concha, *Miguel Hernández (1910-1942). Vida y obra - Bibliografía - Antología,* Nueva York, Hispanic Institute, Columbia University, 1955.

Portada de la edición de 1937

Viento del pueblo
poesía en la guerra

Miguel Hernández
Poeta campesino en las trincheras
por T. Navarro Tomás

Miguel Hernández, nacido en Orihuela (Alicante), tiene veinticinco años. Es hijo de unos humildes pastores de cabras. Desde niño ha trabajado en el cuidado del ganado y en el cultivo de la tierra. Aprendió las primeras letras en una escuela de Orihuela. Pasaron primeramente por sus manos algunas de las mediocres novelas por entregas que las editoriales de este género de literatura sembraban por los pueblos. En un círculo obrero de su ciudad natal encontró libros de nuestros autores clásicos. Un amigo, estudiante, le proporcionó obras de Antonio Machado, de Juan Ramón Jiménez y de otros poetas contemporáneos.

Publicó sus primeras poesías en un periódico local. En 1932 dio a conocer en un librito unas octavas reales nacidas bajo la fascinación del *Polifemo* de Góngora. *Cruz y Raya* le publicó en 1934 un auto sacramental. En 1936 ha reunido una serie de sonetos en un nuevo librito titulado *El rayo que no cesa*. Tiene, además, una obra de teatro inédita, *El labrador de más aire*, drama manchego, en verso, en que, bajo la forma clásica, presenta un trozo de vida popular, campesina, con sus luchas y afanes modernos.

Al estallar la guerra, Miguel Hernández se inscribió en el 5.º Regimiento. Primeramente trabajó en la construcción de fortificaciones. Después, destinado a Infantería, ha luchado como miliciano en la brigada del «Campesino». Sus últimas composiciones, poesías de guerra, escritas en el campo, en las trincheras, ante el enemigo, han aparecido en el periódico de milicianos *Al Ataque*, y se han reproducido en numerosos periódicos murales. En muchos casos, sus recitaciones exaltando los ánimos de sus cama-

radas han hecho vibrar los campos con aplausos enarde-
cidos.

Sus veinticinco años cargados de experiencia, fecunda-
dos con las enseñanzas de la vida pobre, áspera y difícil,
han madurado su figura varonil y su alma de pastor, poeta
y miliciano. Siente con amplitud y profundidad la tragedia
de España, el sacrificio del pueblo y la misión de la juventud. Sirve a su pueblo como poeta y como soldado. Su espíritu, encendido en un puro ideal de justicia y libertad, se
vierte generosamente en sus composiciones poéticas y en
su vida militar. El caudal de sus sentimientos lucha con la
dificultad de la palabra y del verso, sin encontrar siempre
la forma de expresión justa y adecuada. Se percibe la pugna
interna entre el ímpetu de una vigorosa inspiración y la resistencia de un instrumento expresivo insuficientemente
dominado. Pero esta misma forma, labrada con visible esfuerzo y tenacidad, contribuye en cambio a reforzar la impresión de honda y cálida sinceridad emocional que sus
composiciones reflejan.

En el efecto de sus recitaciones, las cualidades de su estilo hallan perfecto complemento en las firmes inflexiones
de su voz, en su cara curtida por el aire y el sol, en su traje
de recia pana, en su justillo de velluda piel de cordero y
hasta en el carácter de su dicción, fuertemente marcada
con el sello fonético del acento regional. Sus ademanes
son sobrios y contenidos y su expresión enérgica, grave y
concentrada. Hay una ardiente exaltación en el recogi-
miento de su gesto y en la fijeza e intensidad de su mirada.
No es de extrañar que, como él mismo dice, su espíritu se
sienta más compenetrado con el aliento de los campos de
Castilla que con el de los huertos levantinos. La dignidad
del tono, del ritmo y del concepto, hacen revivir en sus
labios en muchos pasajes las resonancias épicas del *Romancero*.

Dedico este libro
A Vicente Aleixandre

Vicente: A nosotros, que hemos nacido poetas entre todos los hombres, nos ha hecho poetas la vida junto a todos los hombres. Nosotros venimos brotando del manantial de las guitarras acogidas por el pueblo, y cada poeta que muere deja en manos de otro, como una herencia, un instrumento que viene rodando desde la eternidad de la nada a nuestro corazón esparcido. Ante la sombra de dos poetas nos levantamos otros dos, y ante la nuestra se levantarán otros dos de mañana. Nuestro cimiento será siempre el mismo: la tierra. Nuestro destino es parar en las manos del pueblo. Sólo esas honradas manos pueden contener lo que la sangre honrada del poeta derrama vibrante. Aquel que se atreve a manchar esas manos, aquellos que se atreven a deshonrar esa sangre, son los traidores asesinos del pueblo y la poesía, y nadie los lavará: en su misma suciedad quedarán cegados.

Tu voz y la mía irrumpen del mismo venero. Lo que echo de menos en mi guitarra lo hallo en la tuya. Pablo Neruda y tú me habéis dado imborrables pruebas de poesía, y el pueblo, hacia el que tiendo todas mis raíces, alimenta y ensancha mis ansias y mis cuerdas con el soplo cálido de sus movimientos nobles.

Los poetas somos viento del pueblo: nacemos para pasar soplados a través de sus poros y conducir sus ojos y sus sentimientos hacia las cumbres más hermosas. Hoy, este hoy de pasión, de vida, de muerte, nos empuja de un imponente modo a ti, a mí, a varios, hacia el pueblo. El pueblo espera a los poetas con la oreja y el alma tendidas al pie de cada siglo.

ELEGÍA PRIMERA
(A FEDERICO GARCÍA LORCA, POETA)

Atraviesa la muerte con herrumbrosas lanzas[1],
y en traje de cañón, las parameras
donde cultiva el hombre raíces y esperanzas,
y llueve sal, y esparce calaveras.

Verdura de las eras[2],
¿qué tiempo prevalece la alegría?
El sol pudre la sangre, la cubre de asechanzas
y hace brotar la sombra más sombría.

El dolor y su manto
vienen una vez más a nuestro encuentro.   10
Y una vez más al callejón del llanto
lluviosamente entro.

Siempre me veo dentro
de esta sombra de acíbar revocada,

---

[1] Esta elegía a Federico, escrita casi al año de su asesinato en Granada, es
un sentido tributo a la amistad (vv. 18-69, 110-15), que en el revuelto ambiente de la guerra se convierte en denuncia de la barbarie fascista y en móvil
inexcusable para la acción bélica (vv. 70-75). Con ello tenemos dos de sus
motivos centrales. El tercero será la conmoción universal ante tan horrendo
crimen (vv. 76-100). Así fue la evocación del amigo que hizo Miguel en las
palabras que pronunció en agosto de 1937 en el Ateneo de Alicante: «La de-
saparición de F. G. Lorca es la pérdida más grande que sufre el pueblo de España. Él solo era una nación de poesía. Es su sombra... la que me empuja
irresistiblemente contra sus asesinos en un violento deseo de venganza» (Ramos, 41).

[2] Varios críticos han notado los ecos de aquellos conocidos versos de las
Coplas de Jorge Manrique: «¿qué fueron sino verdura / de las eras?», cuyo
acento lúgubre queda plenamente evocado al conjuro de dos sustantivos.

amasada con ojos y bordones,
que un candil de agonía tiene puesto a la entrada
y un rabioso collar de corazones.

Llorar dentro de un pozo,
en la misma raíz desconsolada
del agua, del sollozo,   20
del corazón quisiera:
donde nadie me viera la voz ni la mirada,
ni restos de mis lágrimas me viera.

Entro despacio, se me cae la frente
despacio, el corazón se me desgarra
despacio, y despaciosa y negramente
vuelvo a llorar al pie de una guitarra.

Entre todos los muertos de elegía,
sin olvidar el eco de ninguno,
por haber resonado más en el alma mía,   30
la mano de mi llanto escoge uno.

Federico García
hasta ayer se llamó: polvo se llama.
Ayer tuvo un espacio bajo el día
que hoy el hoyo le da bajo la grama.

¡Tanto fue! ¡Tanto fuiste y ya no eres!
Tu agitada alegría,
que agitaba columnas y alfileres,
de tus dientes arrancas y sacudes,
y ya te pones triste, y sólo quieres   40
ya el paraíso de los ataúdes.

Vestido de esqueleto,
durmiéndote de plomo,
de indiferencia armado y de respeto,
te veo entre tus cejas si me asomo.

Se ha llevado tu vida de palomo,
que ceñía de espuma
y de arrullos el cielo y las ventanas,
como un raudal de pluma
el viento que se lleva las semanas.   50

Primo de las manzanas,
no podrá con tu savia la carcoma,
no podrá con tu muerte la lengua del gusano,
y para dar salud fiera a su poma
elegirá tus huesos el manzano.

Cegado el manantial de tu saliva,
hijo de la paloma,
nieto del ruiseñor y de la oliva:
serás, mientras la tierra vaya y vuelva,
esposo siempre de la siempreviva,   60
estiércol padre de la madreselva.

¡Qué sencilla es la muerte: qué sencilla,
pero qué injustamente arrebatada!
No sabe andar despacio, y acuchilla
cuando menos se espera su turbia cuchillada.

Tú, el más firme edificio, destruido,
tú, el gavilán más alto, desplomado,
tú, el más grande rugido,
callado, y más callado, y más callado.

Caiga tu alegre sangre de granado,   70
como un derrumbamiento de martillos feroces,
sobre quien te detuvo mortalmente.
Salivazos y hoces
caigan sobre la mancha de su frente.

Muere un poeta y la creación se siente
herida y moribunda en las entrañas.
Un cósmico temblor de escalofríos

mueve temiblemente las montañas,
un resplandor de muerte la matriz de los ríos.

Oigo pueblos de ayes y valles de lamentos,⁣ 80
veo un bosque de ojos nunca enjutos,
avenidas de lágrimas y mantos:
y en torbellinos de hojas y de vientos,
lutos tras otros lutos y otros lutos,
llantos tras otros llantos y otros llantos.

No aventarán, no arrastrarán tus huesos,
volcán de arrope, trueno de panales,
poeta entretejido, dulce, amargo,
que al calor de los besos
sentiste, entre dos largas hileras de puñales,⁣ 90
largo amor, muerte larga, fuego largo.

Por hacer a tu muerte compañía,
vienen poblando todos los rincones
del cielo y de la tierra bandadas de armonía,
relámpagos de azules vibraciones.
Crótalos granizados a montones,
batallones de flautas, panderos y gitanos,
ráfagas de abejorros y violines,
tormentas de guitarras y pianos,
irrupciones de trompas y clarines³.⁣ ·100

Pero el silencio puede más que tanto instrumento.

Silencioso, desierto, polvoriento
en la muerte desierta,
parece que tu lengua, que tu aliento,
los ha cerrado el golpe de una puerta.

---

³ En vigorosa enumeración panegírica (vv. 92-100) evoca animales, insectos, instrumentos, hombres, truenos y armonías celestes, «para expresar la gran conmoción de la naturaleza ante la muerte del poeta», como dice J. Cano Ballesta (PMH, 227).

Como si paseara con tu sombra,
paseo con la mía
por una tierra que el silencio alfombra,
que el ciprés apetece más sombría.

Rodea mi garganta tu agonía   110
como un hierro de horca
y pruebo una bebida funeraria.
Tú sabes, Federico García Lorca,
que soy de los que gozan una muerte diaria[4].

---

[4] J. M. Balcells nota cómo el *cotidie morimur* y motivos adyacentes, posible-
mente los temas más recurrentes en ciertas obras de Quevedo, dominan también en *Viento del pueblo*, como vemos en éstos y, sobre todo, en el último verso («De Quevedo», 102-103).

SENTADO SOBRE LOS MUERTOS

Sentado sobre los muertos[5]
que se han callado en dos meses,
beso zapatos vacíos
y empuño rabiosamente
la mano del corazón
y el alma que lo mantiene.

Que mi voz suba a los montes
y baje a la tierra y truene,
eso pide mi garganta
desde ahora y desde siempre.   10

[5] Apareció por vez primera en *El Mono Azul,* núm. 5, Madrid, jueves, 24 de septiembre de 1936, 4. Fue escrito durante los primeros días de la incorporación del poeta como voluntario al Quinto Regimiento, a los dos meses del comienzo de la guerra. Con esto trato de corregir la datación inexacta que le atribuyen R. Marrast (PPG, 40), y siguiéndolo, A. Sánchez Vidal (PC 806). Contra el parecer de M. de G. Ifach, que considera la elegía a Lorca «la primera composición revolucionaria que la guerra le inspiró» (MHR 180), la fecha de publicación prueba que este poema es el primero que fue inspirado por la contienda civil. A pesar de la precipitación e inexperiencia en este tipo de poesía, el poeta entregó a la imprenta para su primera publicación en *El Mono Azul* una versión muy cuidada que no necesitó corregir para la versión definitiva de *Viento del pueblo* un año después. Los únicos cambios que introduce en ésta son: dos puntos en vez de punto y coma en v. 58, y el poner espacios de separación entre los vv. 6, 10, 28, 38, 56, 68 y los siguientes, con lo que se resalta mejor el contenido. El poema se publicó, al menos, otras cinco veces durante la guerra, lo que prueba su alto grado de popularidad. Se incluyó en el *Romancero de la Guerra Civil* (61-63) aparecido, según dice el colofón,

Acércate a mi clamor,
pueblo de mi misma leche,
árbol que con tus raíces
encarcelado me tienes,
que aquí estoy yo para amarte
y estoy para defenderte
con la sangre y con la boca
como dos fusiles fieles.

Si yo salí de la tierra,
si yo he nacido de un vientre   20
desdichado y con pobreza,
no fue sino para hacerme
ruiseñor de las desdichas,
eco de la mala suerte,
y cantar y repetir
a quien escucharme debe
cuanto a penas, cuanto a pobres,
cuanto a tierra se refiere.

Ayer amaneció el pueblo[6]
desnudo y sin qué ponerse,   30
hambriento y sin qué comer,
y el día de hoy amanece
justamente aborrascado
y sangriento justamente.
En su mano los fusiles
leones quieren volverse
para acabar con las fieras
que lo han sido tantas veces.

---

el 30 de noviembre de 1936, recién superado el asedio de Madrid. Véase «Introducción», págs. 15, 22-23.

[6] El poeta lleva a cabo el salto emocionado de un yo confesional y doliente, su intensa voz personal (vv. 3-10, 19-28, 57-74), a su voz social, ese fundirse del yo con las angustias de su pueblo y convertirse en «ruiseñor de las desdichas», fenómeno que formula así Puccini: «La dimensión social provoca dos fenómenos: por un lado la confesión se eleva a nivel dialógico; y por otro el drama personal se ejemplifica a nivel épico» (85).

Aunque te falten las armas,
pueblo de cien mil poderes,   40
no desfallezcan tus huesos,
castiga a quien te malhiere
mientras que te queden puños,
uñas, saliva, y te queden
corazón, entrañas, tripas,
cosas de varón y dientes.
Bravo como el viento bravo,
leve como el aire leve,
asesina al que asesina,
aborrece al que aborrece   50
la paz de tu corazón
y el vientre de tus mujeres.
No te hieran por la espalda,
vive cara a cara y muere
con el pecho ante las balas,
ancho como las paredes.

Canto con la voz de luto,
pueblo de mí, por tus héroes:
tus ansias como las mías,
tus desventuras que tienen   60
del mismo metal el llanto,
las penas del mismo temple,
y de la misma madera
tu pensamiento y mi frente,
tu corazón y mi sangre,
tu dolor y mis laureles.
Antemuro de la nada
esta vida me parece.

Aquí estoy para vivir
mientras el alma me suene,   70
y aquí estoy para morir,
cuando la hora me llegue,
en los veneros del pueblo
desde ahora y desde siempre.
Varios tragos es la vida
y un solo trago es la muerte.

VIENTOS DEL PUEBLO ME LLEVAN

Vientos del pueblo me llevan[7],
vientos del pueblo me arrastran,
me esparcen el corazón
y me aventan la garganta.

Los bueyes doblan la frente,
impotentemente mansa,
delante de los castigos:
los leones la levantan
y al mismo tiempo castigan
con su clamorosa zarpa.   10

No soy de un pueblo de bueyes[8],
que soy de un pueblo que embargan
yacimientos de leones,

---

[7] Publicado por primera vez en *El Mono Azul*, núm. 9, Madrid, jueves, 22 de octubre de 1936, 4. Este texto inicial no experimenta cambios en el libro *Viento del pueblo*, excepto un punto y coma que se convierte en dos puntos (v. 7) y la ruptura, en la impresión, de la tirada única del romance al introducir espacios después de los vv. 4, 10, 18, 24, 52, 54, 64 y 70. Fue incluido en *Romancero de la Guerra Civil* (65-67), que se acabó de imprimir el 30 de noviembre de 1936.

[8] Todo el poema está construido sobre dos tipos de símbolos: unos que encarnan la cobardía y sumisión (bueyes), y otros que se convierten en imagen primigenia de los más altos valores del coraje y la arrogancia que exige la guerra (toros, leones, águilas, huracán, rayo, animal varón, etc.). Por eso ha dicho F. Claramunt: «Nunca ha llegado a tanto dramatismo la vieja dialéctica entre el toro bravo y el buey» (111).

desfiladeros de águilas
y cordilleras de toros
con el orgullo en el asta.
Nunca medraron los bueyes
en los páramos de España.

¿Quién habló de echar un yugo
sobre el cuello de esta raza?   20
¿Quién ha puesto al huracán
jamás ni yugos ni trabas,
ni quién al rayo detuvo
prisionero en una jaula?

Asturianos de braveza[9],
vascos de piedra blindada,
valencianos de alegría
y castellanos de alma,
labrados como la tierra
y airosos como las alas;   30
andaluces de relámpagos,
nacidos entre guitarras
y forjados en los yunques
torrenciales de las lágrimas;
extremeños de centeno,
gallegos de lluvia y calma,
catalanes de firmeza,
aragoneses de casta,
murcianos de dinamita
frutalmente propagada,   40
leoneses, navarros, dueños
del hambre, el sudor y el hacha,
reyes de la minería,
señores de la labranza,

---

[9] En una larga enumeración panegírica evoca los diversos pueblos de España caracterizados en sus rasgos más distintivos, pero unidos en la valentía y coraje. Los versos rezuman sabor popular y traen claros ecos del romancero tradicional, que abundaba desde antiguo, en estas prolongadas enumeraciones.

hombres que entre las raíces,
como raíces gallardas,
vais de la vida a la muerte,
vais de la nada a la nada:
yugos os quieren poner
gentes de la hierba mala,   50
yugos que habéis de dejar
rotos sobre sus espaldas.

Crepúsculo de los bueyes
está despuntando el alba.

Los bueyes mueren vestidos
de humildad y olor de cuadra:
las águilas, los leones
y los toros de arrogancia,
y detrás de ellos, el cielo
ni se enturbia ni se acaba.   60
La agonía de los bueyes
tiene pequeña la cara,
la del animal varón
toda la creación agranda.

Si me muero, que me muera
con la cabeza muy alta.
Muerto y veinte veces muerto,
la boca contra la grama,
tendré apretados los dientes
y decidida la barba.   70

Cantando espero a la muerte[10],
que hay ruiseñores que cantan
encima de los fusiles
y en medio de las batallas.

_____

[10] El tono confiado y vigoroso de este poema, de los más entusiastas de
todo el libro, no nos debe llevar a engaño. El poeta también tenía sus crisis.
Véase «Introducción», pág. 17.

EL NIÑO YUNTERO

Carne de yugo, ha nacido[11]
más humillado que bello,
con el cuello perseguido
por el yugo para el cuello.

Nace, como la herramienta,
a los golpes destinado,
de una tierra descontenta
y un insatisfecho arado.

Entre estiércol puro y vivo
de vacas, trae a la vida   10
un alma color de olivo
vieja ya y encallecida.

---

[11] Un esbozo previo que desvela la gestación de este poema, pensado origi-
nalmente en versos endecasílabos y heptasílabos, gira en torno a las labores, el sudor, el hambre, la miseria y tristeza de la vida del niño y la tremenda
impresión que causan en el poeta. He aquí estas notas escritas a lápiz y en papel de mala calidad:

> cavan y labran, sudan y se entierran - me duelen estos niños como es-
> pinas - padezco por las cosas de la tierra - bajo el grito del hambre y el
> imperio, [-] trabaja, verde, anciano, largo, serio - no conocen la edad
> de los... jamás - me clavan [ilegible] en el pecho, me roturan la sangre
> con arados - la desnudez los cubre - el pie ya encallecido [-] descalzos
> nacen y descalzos andan - desamparadamente hambrientos - tengo
> miedo de que se rompan los
> niños del yugo - los azota el sol y el frío

Empieza a vivir, y empieza
a morir de punta a punta[12]
levantando la corteza
de su madre con la yunta.

Empieza a sentir, y siente
la vida como una guerra,
y a dar fatigosamente
en los huesos de la tierra.   20

Contar sus años no sabe,
y ya sabe que el sudor
es una corona grave
de sal para el labrador.

Trabaja, y mientras trabaja
masculinamente serio,
se unge de lluvia y se alhaja
de carne de cementerio[13].

---

tienen un alma de color de encina
y un rostro más amargo que moreno
estos hombres [ilegible]
que nacen entre estiércol y centeno
un grupo de herramientas en las manos
se les ha concedido
un cuerpo de claveles labradores
y una carne de piedra cejijunta.

(Archivos de M. Hernández, carpeta 268, doc. X-17).

El poema se publicó por primera vez en *Ayuda, Semanario de la Solidaridad*, núm. 44, Madrid, 27 de febrero de 1937, 1, con un sistema de puntuación aún muy deficiente, que el poeta corrige a fondo para incorporarlo a *Viento del pueblo*, añadiendo y suprimiendo comas, con lo que mejora considerablemente la diafanidad del texto.

[12] Se han notado los ecos del tema del *cotidie morimur*, tan repetidos en Quevedo y perceptibles en estos versos y en otros lugares del poema. Recordemos la sentencia de Quevedo: «lo que llamáis nacer es empezar a morir, y lo que llamáis vivir es morir viviendo», o en otro lugar: «empieça el hombre a nacer y a morir» (Bacells, «De Quevedo», 103).

[13] Esta estrofa (vv. 25-28), que no aparecía en la publicación original de *Ayuda*, es añadida para la edición de *Viento del pueblo*, que es la que reproducimos. La estrofa presta más relieve al título, al tema central y a la fotografía de un niño labrando los campos que precede al poema. Es una manera de inten-

A fuerza de golpes, fuerte,
y a fuerza de sol, bruñido,   30
con una ambición de muerte
despedaza un pan reñido.

Cada nuevo día es
más raíz, menos criatura,
que escucha bajo sus pies
la voz de la sepultura.

Y como raíz se hunde
en la tierra lentamente
para que la tierra inunde
de paz y panes su frente.   40

Me duele este niño hambriento[14]
como una grandiosa espina,
y su vivir ceniciento
revuelve mi alma de encina.

Lo veo arar los rastrojos,
y devorar un mendrugo,
y declarar con los ojos
que por qué es carne de yugo.

Me da su arado en el pecho,
y su vida en la garganta,   50

sificar el mensaje sobre la tremenda dureza del trabajo del niño yuntero. Aparece también en una copia del poema, mecanografiada con papel de calcar
azul, que he podido ver en los Archivos de M. Hernández (Carpeta 134, Doc.
A-292). Esta copia, de puntuación aún muy descuidada, es, pues, posterior a
febrero y anterior a septiembre de 1937. Ofrece dos variantes de interés: «se
orna de lluvia y se alhaja» (v. 27) y «como si fuera una espina» (v. 42).

[14] La áspera realidad de la vida de los campesinos en guerra (hambre, miseria y dolores) aparece aquí evocada de un modo muy especial, como nota
Puccini: «el discurrir objetivo y descriptivo se ve roto de pronto por la intru-
sión del yo autobiográfico del poeta ("Me duele este niño hambriento")» (81).
El rudo espectáculo del niño labrando las tierras queda con ello envuelto en
una oleada de cordial lirismo, mediante el cual el poeta se identifica, una vez
más, con los sentimientos de su pueblo.

y sufro viendo el barbecho
tan grande bajo su planta.

¿Quién salvará este chiquillo
menor que un grano de avena?
¿De dónde saldrá el martillo
verdugo de esta cadena?

Que salga del corazón
de los hombres jornaleros,
que antes de ser hombres son
y han sido niños yunteros[15]   60

---

[15] El poema ha sido objeto de apreciaciones muy dispares. A. Sánchez Vidal, en la línea de otros muchos críticos, resalta «la tonalidad lírica... conectada con su cosmovisión» (PC, CXXXVI), en lo que coincide con Puccini (antes citado), para valorar la profundidad y emoción de la voz del poeta. G. Nichols, por el contrario, descubre «demasiados errores lógicos» y «demasiadas imágenes desafortunadas», que la llevan a decir: «"El niño yuntero" es un poema mediocre. En virtud de su convicción apasionada y de su mediocridad estética, es representativo de *Viento del pueblo*» (120).

LOS COBARDES

Hombres veo que de hombres[16]
sólo tienen, sólo gastan
el parecer y el cigarro,
el pantalón y la barba.

En el corazón son liebres,
gallinas en las entrañas,
galgos de rápido vientre,
que en épocas de paz ladran
y en épocas de cañones
desaparecen del mapa.   10

Estos hombres, estas liebres,
comisarios de la alarma,
cuando escuchan a cien leguas
el estruendo de las balas,

---

[16] No aparece publicado en revistas de la guerra, lo que refleja que no era de los más estimados por el poeta. Precisamente por ello resulta extraño que lo incluyera en el libro. Puccini hace notar los posibles ecos quevedianos de este «lenguaje plebeyo de la iracundia y del sarcasmo» (82). Ramón Gaya echa en cara a Miguel «esa maniática preocupación por conseguir poesía masculina y fuerte» y la ingenua creencia de que las palabrotas, las expresiones fuertes o violentas, van a «poner más vigorosidad, más virilidad y energía» a un poema («Divagaciones», *Hora de España*, núm. 17, Valencia, mayo de 1938, 49-50). Pero habría que responder que tal vez estos recursos que condena Gaya son los que establecen el fluido de la comunicación con los rudos soldados y campesinos a los que Miguel Hernández se dirigía. Siguiendo una técnica ya conocida, el romance gira en torno a una cadena de metáforas de la cobardía: liebres, gallinas, galgos, «fugitivas cacas», podencos.

con singular heroísmo
a la carrera se lanzan,
se les alborota el ano,
el pelo se les espanta.
Valientemente se esconden,
gallardamente se escapan   20
del campo de los peligros
estas fugitivas cacas,
que me duelen hace tiempo
en los cojones del alma.

¿Dónde iréis que no vayáis
a la muerte, liebres pálidas,
podencos de poca fe
y de demasiadas patas?
¿No os avergüenza mirar
en tanto lugar de España   30
a tanta mujer serena
bajo tantas amenazas?
Un tiro por cada diente
vuestra existencia reclama,
cobardes de piel cobarde
y de corazón de caña.
Tembláis como poseídos
de todo un siglo de escarcha
y vais del sol a la sombra
llenos de desconfianza.   40
Halláis los sótanos poco
defendidos por las casas.

Vuestro miedo exige al mundo
batallones de murallas,
barreras de plomo a orillas
de precipicios y zanjas
para vuestra pobre vida,
mezquina de sangre y ansias.
No os basta estar defendidos
por lluvias de sangre hidalga,   50
que no cesa de caer,

generosamente cálida,
un día tras otro día
a la gleba castellana.
No sentís el llamamiento
de las vidas derramadas.
Para salvar vuestra piel
las madrigueras no os bastan,
no os bastan los agujeros,
ni los retretes, ni nada.   60
Huís y huís, dando al pueblo,
mientras bebéis la distancia,
motivos para mataros
por las corridas espaldas.

Solos se quedan los hombres
al calor de las batallas,
y vosotros lejos de ellas,
queréis ocultar la infamia,
pero el color de cobardes
no se os irá de la cara.   70

    Ocupad los tristes puestos
de la triste telaraña.
Sustituid a la escoba,
y barred con vuestras nalgas
la mierda que vais dejando
donde colocáis la planta.

ELEGÍA SEGUNDA
(A PABLO DE LA TORRIENTE, COMISARIO POLÍTICO)

«Me quedaré en España compañero»[17],
me dijiste con gesto enamorado.
Y al fin sin tu edificio tronante de guerrero
en la hierba de España te has quedado.

Nadie llora a tu lado:
desde el soldado al duro comandante,
todos te ven, te cercan y te atienden
con ojos de granito amenazante,
con cejas incendiadas que todo el cielo encienden.

Valentín el volcán, que si llora algún día   10
será con unas lágrimas de hierro,
se viste emocionado de alegría
para robustecer el río de tu entierro.

Como el yunque que pierde su martillo,
Manuel Moral se calla
colérico y sencillo.

Y hay muchos capitanes y muchos comisarios
quitándote pedazos de metralla,
poniéndote trofeos funerarios.

---

17 Esta elegía se publica por primera vez en *Ayuda, Semanario de la Solidaridad*, núm. 41, Madrid, 6 de febrero de 1937, 1, precedida de la siguiente nota: «El día 19 de diciembre ha caído, dentro del fuego del combate, Pablo de la Torriente-Brau, comisario político que, de su patria, vino a defender la nuestra sobre tierra libre de Castilla. Hijo de un pueblo tiranizado, él representa la sangre oprimida que se entrega por la libertad de todos los pueblos. La som-

Ya no hablarás de vivos y de muertos,   20
ya disfrutas la muerte del héroe, ya la vida
no te verá en las calles ni en los puertos
pasar como una ráfaga garrida.

Pablo de la Torriente,
has quedado en España
y en mi alma caído:
nunca se pondrá el sol sobre tu frente,
heredará tu altura la montaña
y tu valor el toro del bramido.

De una forma vestida de preclara   30
has perdido las plumas y los besos,
con el sol español puesto en la cara
y el de Cuba en los huesos.

Pasad ante el cubano generoso,
hombres de su Brigada,
con el fusil furioso,
las botas iracundas y la mano crispada.

Miradlo sonriendo a los terrones
y exigiendo venganza bajo sus dientes mudos
a nuestros más floridos batallones   40
y a sus varones como rayos rudos.

Ante Pablo los días se abstienen ya y no andan.
No temáis que se extinga su sangre sin objeto,
porque éste es de los muertos que crecen y se agrandan
aunque el tiempo devaste su gigante esqueleto[18].

_____

bra que en vida dejaba bajo el sol, con su muerte asciende, cada vez mayor,
hacia la luz». Véase «Introducción», pág. 24.

[18] Sigo en todo el texto de la edición de *Viento del pueblo,* casi idéntico al de
Ayuda, poniendo, sin embargo, «devaste» en lugar de «desvaste», como es co-
rrecto y como aparece en la versión de *Ayuda.*

NUESTRA JUVENTUD NO MUERE

Caídos sí, no muertos, ya postrados titanes[19],
están los hombres de resuelto pecho
sobre las más gloriosas sepulturas:
las eras de las hierbas y los panes,
el frondoso barbecho,
las trincheras oscuras.

Siempre serán famosas
estas sangres cubiertas de abriles y de mayos,
que hacen vibrar las dilatadas fosas
con su vigor que se decide en rayos.   10

Han muerto como mueren los leones:
peleando y rugiendo,
espumosa la boca de canciones,
de ímpetu las cabezas y las venas de estruendo.

---

[19] La versión del libro, que es la que ofrecemos, reproduce exactamente el
texto y la puntuación del poema publicado por primera vez en el diario *Ahora*, Madrid, viernes, 1 de enero de 1937. Se publica en la última página de lo
que parece un número extraordinario, enmarcado por siete fotografías de jóvenes héroes y líderes de organizaciones juveniles, entre ellos varios conocidísimos, muertos en los primeros meses de la guerra, como «Lina Odena de
la Comisión ejecutiva de la J. S. U.», «Durruti, símbolo de la unidad entre jóvenes socialistas unificados y libertarios», «Pablo de la Torriente, joven cubano, caído en la defensa de Madrid», etc. El poema es un homenaje a estos héroes. Los simbólicos caballos de la muerte aparecen (vv. 25-28) para llevárselos a sus puestos definitivos.

Héroes a borbotones,
no han conocido el rostro a la derrota,
y victoriosamente sonriendo
se han desplomado en la besana umbría,
sobre el cimiento errante de la bota
y el firmamento de la gallardía. 20

Una gota de pura valentía
vale más que un océano cobarde.

Bajo el gran resplandor de un mediodía
sin mañana y sin tarde,
unos caballos que parecen claros,
aunque son tenebrosos y funestos,
se llevan a estos hombres vestidos de disparos
a sus inacabables y entretejidos puestos.

No hay nada negro en estas muertes claras.
Pasiones y tambores detengan los sollozos. 30
Mirad, madres y novias, sus transparentes caras:
la juventud verdea para siempre en sus bozos.

LLAMO A LA JUVENTUD

Los quince y los dieciocho[20],
los dieciocho y los veinte...
Me voy a cumplir los años
al fuego que me requiere,
y si resuena mi hora
antes de los doce meses,
los cumpliré bajo tierra.
Yo trato que de mí queden
una memoria de sol
y un sonido de valiente.   10

Si cada boca de España,
de su juventud, pusiese
estas palabras, mordiéndolas,
en lo mejor de sus dientes:
si la juventud de España,
de un impulso solo y verde,
alzara su gallardía,
sus músculos extendiese
contra los desenfrenados

---

[20] Se publicó por vez primera en *Nueva Cultura,* núm. 1, Información, Crítica y Orientación Intelectual, Valencia, Año III, marzo de 1937 [255-256]. Para incluirla en *Viento del pueblo* el poeta corrigió una obvia errata (la repetición de «y al olivo», vv. 91-92) y mejoró la puntuación en unos pocos casos: dos puntos en vez de coma (v. 34), coma en vez de dos puntos (v. 42), coma añadida (vv. 48, 83).

que apropiarse España quieren,   20
sería el mar arrojando
a la arena muda siempre
varios caballos de estiércol
de sus pueblos transparentes,
con un brazo inacabable
de perpetua espuma fuerte.

Si el Cid volviera a clavar
aquellos huesos que aún hieren
el polvo y el pensamiento,
aquel cerro de su frente,   30
aquel trueno de su alma
y aquella espada indeleble,
sin rival, sobre su sombra
de entrelazados laureles:
al mirar lo que de España
los alemanes pretenden,
los italianos procuran,
los moros, los portugueses,
que han grabado en nuestro cielo
constelaciones crueles   40
de crímenes empapados
en una sangre inocente,
subiera en su airado potro
y en su cólera celeste
a derribar trimotores
como quien derriba mieses[21].

Bajo una zarpa de lluvia,
y un racimo de relente,
y un ejército de sol,

---

[21] Refiriéndose concretamente a estos versos, Manuel Altolaguirre escribe
los siguientes comentarios críticos: «No. Tú sabes que no. Comprendo que
en un momento de delirio escribamos cosas por el estilo. El potro, el aire, el
trimotor, el trigo. Pero tú sabes como yo, que eso no es poesía de guerra, ni
poesía revolucionaria, ni siquiera versificación de propaganda» («Noche de
guerra. De mi diario», *Hora de España,* marzo de 1937).

campan los cuerpos rebeldes   50
de los españoles dignos
que al yugo no se someten,
y la claridad los sigue,
y los robles los refieren.
Entre graves camilleros
hay heridos que se mueren
con el rostro rodeado
de tan diáfanos ponientes,
que son auroras sembradas
alrededor de sus sienes.   60
Parecen plata dormida
y oro en reposo parecen.

Llegaron a las trincheras
y dijeron firmemente:
¡Aquí echaremos raíces
antes que nadie nos eche!
Y la muerte se sintió
orgullosa de tenerles.
Pero en los negros rincones,
en los más negros, se tienden   70
a llorar por los caídos
madres que les dieron leche,
hermanas que los lavaron,
novias que han sido de nieve
y que se han vuelto de luto
y que se han vuelto de fiebre;
desconcertadas viudas,
desparramadas mujeres,
cartas y fotografías
que los expresan fielmente,   80
donde los ojos se rompen
de tanto ver y no verles,
de tanta lágrima muda,
de tanta hermosura ausente.

Juventud solar de España:
que pase el tiempo y se quede

81

con un murmullo de huesos
heroicos en su corriente.
Echa tus huesos al campo,
echa las fuerzas que tienes   90
a las cordilleras foscas
y al olivo del aceite.
Reluce por los collados,
y apaga la mala gente,
y atrévete con el plomo,
y el hombro y la pierna extiende.

Sangre que no se desborda,
juventud que no se atreve,
ni es sangre, ni es juventud,
ni relucen, ni florecen.   100
Cuerpos que nacen vencidos,
vencidos y grises mueren:
vienen con la edad de un siglo,
y son viejos cuando vienen.

La juventud siempre empuja,
la juventud siempre vence,
y la salvación de España
de su juventud depende.

La muerte junto al fusil,
antes que se nos destierre,   110
antes que se nos escupa,
antes que se nos afrente
y antes que entre las cenizas
que de nuestro pueblo queden,
arrastrados sin remedio
gritemos amargamente:
¡Ay España de mi vida,
ay España de mi muerte!

RECOGED ESTA VOZ

Naciones de la tierra, patrias del mar, hermanos[22]
del mundo y de la nada:
habitantes perdidos y lejanos,
más que del corazón, de la mirada.

Aquí tengo una voz enardecida,
aquí tengo una vida combatida y airada,
aquí tengo un rumor, aquí tengo una vida.

Abierto estoy, mirad, como una herida.
Hundido estoy, mirad, estoy hundido
en medio de mi pueblo y de sus males.   10
Herido voy, herido y malherido,
sangrando por trincheras y hospitales.

---

22 Fue publicado originariamente, junto con el anterior, en *Nueva Cultura*,
núm. 1, Valencia, Año III, marzo de 1937, donde al fin añade, entre parénte-
sis, el lugar y fecha de composición: «Madrid, 15 de enero de 1937». Esta indicación la hallo también en los Archivos de Miguel Hernández (Carpeta
135, Doc. A-294), en una copia mecanografiada en carbón que reproduce un
texto del poema idéntico al de *Viento del pueblo*. Esto anula la suposición de M.
de G. Ifach de que fue escrito en Andalucía (MHR 191), a donde sabemos
que Miguel se trasladó hacia el 20 de febrero de 1937 (*Cartas a J*, 176). Puccini observa la clara división de este «largo canto épico» en dos partes: «una
elegía a España desgarrada, para cuya salvación se llama a las "naciones de la
tierra"», y «un himno a la juventud española» (81).

Miguel trata de corregir anteriores descuidos, propios de la improvisa-
ción, al preparar el libro *Viento del pueblo*. Así introduce «pueblo» (v. 72) y
pone «espada» en lugar de «escopeta» (v. 128). En ambos casos restaura la

Hombres, mundos, naciones,
atended, escuchad mi sangrante sonido,
recoged mis latidos de quebranto
en vuestros espaciosos corazones,
porque yo empuño el alma cuando canto.

Cantando me defiendo
y defiendo mi pueblo cuando en mi pueblo imprimen
su herradura de pólvora y estruendo   20
los bárbaros del crimen.

Esta es su obra, ésta:
pasan, arrasan como torbellinos,
y son ante su cólera funesta
armas los horizontes y muerte los caminos.

El llanto que por valles y balcones se vierte,
en las piedras diluvia y en las piedras trabaja,
y no hay espacio para tanta muerte,
y no hay madera para tanta caja.

Caravanas de cuerpos abatidos.   30
Todo vendajes, penas y pañuelos:
todo camillas donde a los heridos
se les quiebran las fuerzas y los vuelos.

Sangre, sangre por árboles y suelos,
sangre por aguas, sangre por paredes,
y un temor de que España se desplome
del peso de la sangre que moja entre sus redes
hasta el pan que se come.

Recoged este viento,
naciones, hombres, mundos,   40

---

musicalidad combinando el ritmo del verso heptasílabo a juego con el ende-
casílabo. También evita una reiteración semántica poco agraciada: «fusil»,
«escopeta», vv. 127-8. Por lo demás, el poema no sufre cambios excepto el
añadido de una coma necesaria (v. 112).

que parte de las bocas de conmovido aliento
y de los hospitales moribundos.

Aplicad las orejas
a mi clamor de pueblo atropellado,
al ¡ay! de tantas madres, a las quejas
de tanto ser luciente que el luto ha devorado.

Los pechos que empujaban y herían las montañas,
vedlos desfallecidos sin leche ni hermosura,
y ved las blancas novias y las negras pestañas
caídas y sumidas en una siesta oscura.   50

Aplicad la pasión de las entrañas
a este pueblo que muere con un gesto invencible
sembrado por los labios y la frente,
bajo los implacables aeroplanos
que arrebatan terrible,
terrible, ignominiosa, diariamente,
a las madres los hijos de las manos.

Ciudades de trabajo y de inocencia,
juventudes que brotan de la encina,
troncos de bronce, cuerpos de potencia   60
yacen precipitados en la ruina.

Un porvenir de polvo se avecina,
se avecina un suceso
en que no quedará ninguna cosa:
ni piedra sobre piedra ni hueso sobre hueso.

España no es España, que es una inmensa fosa,
que es un gran cementerio rojo y bombardeado:
los bárbaros la quieren de este modo.

Será la tierra un denso corazón desolado,
si vosotros, naciones, hombres, mundos,   70
con mi pueblo del todo

y vuestro pueblo encima del costado,
no quebráis los colmillos iracundos[23].

II

Pero no lo será: que un mar piafante,
triunfante siempre, siempre decidido,
hecho para la luz, para la hazaña,
agita su cabeza de rebelde diamante,
bate su pie calzado en el sonido
por todos los cadáveres de España.

Es una juventud: recoged este viento.   80
Su sangre es el cristal que no se empaña,
su sombrero el laurel y el pedernal su aliento.
Donde clava la fuerza de sus dientes
brota un volcán de diáfanas espadas,
y sus hombros batientes,
y sus talones guían llamaradas.

Está compuesta de hombres del trabajo:
de herreros rojos, de albos albañiles,
de yunteros con rostro de cosechas.
Oceánicamente transcurren por debajo   90
de un fragor de sirenas y herramientas fabriles
y de gigantes arcos alumbrados con flechas.

---

[23] Según M. Chevallier, «la propaganda descubre de nuevo sus procedi-
mientos a expensas de la sinceridad» y el poeta quiere inspirar al mismo
tiempo «piedad y admiración en beneficio del pueblo combatiente». «La yux-
taposición abrupta del rostro de la España triunfante y del rostro de la España dolorida es grandiosa. La mentira de la propaganda consiste en querer hacer creer en el milagro» (L'homme, 278). Chevallier aporta como ejemplo los
versos 66-69 contrastados con 93-98. Sin embargo, conviene notar que estos
últimos versos son una visión esperanzadora proyectada hacia el mundo del
deseo en el futuro, como se confirma en los versos 103-107, mientras que los
primeros reflejan la visión de una realidad trágica sólo redimible por el apoyo de las naciones amigas (vv. 70-73), que es el mensaje central del
poema.

A pesar de la muerte, estos varones
con metal y relámpagos igual que los escudos,
hacen retroceder a los cañones
acobardados, temblorosos, mudos.

El polvo no los puede y hacen del polvo fuego,
savia, explosión, verdura repentina:
con su poder de abril apasionado
precipitan el alma del espliego,   100
el parto de la mina,
el fértil movimiento del arado.

Ellos harán de cada ruina un prado,
de cada pena un fruto de alegría,
de España un firmamento de hermosura.
Vedlos agigantar el mediodía,
y hermosearlo todo con su joven bravura.

Se merecen la espuma de los truenos,
se merecen la vida y el olor del olivo,
los españoles amplios y serenos   110
que mueven la mirada como un pájaro altivo.

Naciones, hombres, mundos, esto escribo:
la juventud de España saldrá de las trincheras
de pie, invencible como la semilla,
pues tiene un alma llena de banderas
que jamás se somete ni arrodilla.

Allá van por los yermos de Castilla
los cuerpos que parecen potros batalladores,
toros de victorioso desenlace,
diciéndose en su sangre de generosas flores   120
que morir es la cosa más grande que se hace.

Quedarán en el tiempo vencedores,
siempre de sol y majestad cubiertos,
los guerreros de huesos tan gallardos

que si son muertos son gallardos muertos:
la juventud que a España salvará, aunque tuviera
que combatir con un fusil de nardos
y una espada de cera.

ROSARIO, DINAMITERA

Rosario, dinamitera[24],
sobre tu mano bonita
celaba la dinamita
sus atributos de fiera.
Nadie al mirarla creyera
que había en su corazón
una desesperación,
de cristales, de metralla
ansiosa de una batalla,
sedienta de una explosión.   10

Era tu mano derecha,
capaz de fundir leones,

---

[24] Apareció por vez primera en *A l'Assaut, Journal de la XIIe Brigade International*, núm. 4, Madrid, 25 de febrero de 1937, 4, pero según la indicación que le sigue, fue compuesto en «Madrid, enero de 1937». El texto de esta primera publicación sufrió pequeñas correcciones de puntuación al ser reproducido en el libro, donde suprime dos comas (v. 5) y añade una (v. 7). Escrito en perfectas décimas, se inspira en hechos reales que conocemos por un artículo periodístico, donde el autor habla de «Rosario y Felisa»: «Las dos son muchachas de dieciocho años: aquélla, morena de ojos negros, y ésta, morena de ojos transparentes. Rosario tiene un temperamento fogoso que ha desahogado en el Guadarrama haciendo bombas y arrojándolas al enemigo. La avergüenza que muchas mujeres vayan a presumir y a mujerear a las trincheras. La dinamita le ha comido la mano derecha, y ella dice que aún le queda la izquierda para seguir haciendo bombas, tarea que aprendió de un minero asturiano» (PPG, 110). El poema alcanza su apoteosis con la mitificación poética de la heroína popular que trasciende toda realidad y se proyecta al firmamento como en las viejas mitologías (v. 30).

la flor de las municiones
y el anhelo de la mecha.
Rosario, buena cosecha,
alta como un campanario,
sembrabas al adversario
de dinamita furiosa
y era tu mano una rosa
enfurecida, Rosario.   20

Buitrago ha sido testigo
de la condición de rayo
de las hazañas que callo
y de la mano que digo.
¡Bien conoció el enemigo
la mano de esta doncella,
que hoy no es mano porque de ella,
que ni un solo dedo agita,
se prendó la dinamita
y la convirtió en estrella!   30

Rosario, dinamitera,
puedes ser varón y eres
la nata de las mujeres,
la espuma de la trinchera.
Digna como una bandera
de triunfos y resplandores,
dinamiteros pastores,
vedla agitando su aliento
y dad las bombas al viento
del alma de los traidores.

JORNALEROS

Jornaleros que habéis cobrado en plomo[25]
sufrimientos, trabajos y dineros.
Cuerpos de sometido y alto lomo:
jornaleros.

Españoles que España habéis ganado
labrándola entre lluvias y entre soles.
Rabadanes del hambre y el arado[26]:
españoles.

---

[25] Publicado en *La Voz del combatiente,* núm. 56, 25 de febrero de 1937, aparece seguido de la nota: «Madrid, 14 de febrero de 1937», que fija su fecha y lugar de composición. Es una llamada a campesinos y jornaleros, convertidos en soldados, a entregarse con fervor a esta guerra contra los amos y el fascismo, que sólo traen miseria y cadenas. Desde su composición hasta la publicación en *Viento del pueblo* en septiembre, el poema experimenta variaciones que denuncian un profundo cambio de atmósfera. Al mismo tiempo, revela el tono dignificado y hasta cierto punto sereno que el poeta quiere imprimir a su libro, alejándolo del excesivo apasionamiento de las trincheras. Su difusión inicial en *La Voz del combatiente,* periódico de guerra, justifica el espíritu de rabia y agresividad que los repetidos signos de admiración trataban de conjurar en el lector y oyente desde el título «¡Jornaleros!» hasta vv. 37-40 con sus cuatro signos de admiración. Para la versión de *Viento del pueblo* hace, pues, importantes correcciones de tono y estilo. También introduce cambios de puntuación. Suprime dos puntos al fin del v. 15 y una coma después de «final» (v. 46). Sustituye dos puntos por una coma (v. 43), punto y coma por coma (v. 45) y coma por dos puntos (v. 49).

[26] La versión de *La Voz:* «Rabadanes del *surco* y el arado» es sustituida por esta otra de mayor fuerza revolucionaria.

Esta España que, nunca satisfecha
de malograr la flor de la cizaña,   10
de una cosecha pasa a otra cosecha:
esta España.

Poderoso homenaje a las encinas,
homenaje del toro y el coloso,
homenaje de páramos y minas
poderoso.

Esta España que habéis amamantado
con sudores y empujes de montaña[27],
codician los que nunca han cultivado
esta España.   20

¿Dejaremos llevar cobardemente
riquezas que han forjado nuestros remos?
¿Campos que ha humedecido nuestra frente
dejaremos?

Adelanta, español, una tormenta
de martillos y hoces: ruge y canta.
Tu porvenir, tu orgullo, tu herramienta
adelanta[28].

Los verdugos, ejemplo de tiranos[29],
Hitler y Mussolini labran yugos.   30
Sumid en un retrete de gusanos
los verdugos.

Ellos, ellos nos traen una cadena
de cárceles, miserias y atropellos.

---

[27] *La Voz* decía: «con pasión y sudores de montaña».

[28] Esta estrofa, que no aparecía en *La Voz,* aporta un mensaje revolucionario más claro, a tono con el cambio del v. 7, al invocar martillos y hoces con su claro simbolismo comunista.

[29] *La Voz* decía: «Los verdugos, orgullo de tiranos». Con cambios como éste, o el del v. 18, el poeta logra emitir un mensaje más homogéneo e imprimir al verso mayor intensidad y vigor.

¿Quién España destruye y desordena?
¡Ellos! ¡Ellos!

Fuera, fuera, ladrones de naciones,
guardianes de la cúpula banquera,
cluecas del capital y sus doblones:
¡fuera, fuera![30].   40

Arrojados seréis como basura
de todas partes y de todos lados.
No habrá para vosotros sepultura,
arrojados.

La saliva será vuestra mortaja,
vuestro final la bota vengativa,
y sólo os dará sombra, paz y caja
la saliva.

Jornaleros: España, loma a loma,
es de gañanes, pobres y braceros.   50
¡No permitáis que el rico se la coma,
jornaleros!

---

[30] A continuación *La Voz* incluía la siguiente estrofa:
    Poned Papas en vuestros vaticanos,
    ya que no huevos llenos de gualdrapas,
    y encima de la flor de vuestros anos
    poned papas.
El poeta la considera excesivamente irrespetuosa y grosera, y la tacha no sólo
al incluir el poema en *Viento del pueblo,* sino incluso unos meses antes, en *Frente Sur,* núm. 6, Jaén, 8 de abril de 1937, y en *Ayuda, Semanario de la Solidaridad,*
núm. 54, Madrid, 9 de mayo de 1937.

AL SOLDADO INTERNACIONAL
CAÍDO EN ESPAÑA

Si hay hombres que contienen un alma sin fronteras[31],
una esparcida frente de mundiales cabellos,
cubierta de horizontes, barcos y cordilleras,
con arena y con nieve, tú eres uno de aquéllos.

Las patrias te llamaron con todas sus banderas,
que tu aliento llenara de movimientos bellos.
Quisiste apaciguar la sed de las panteras,
y flameaste henchido contra sus atropellos

Con un sabor a todos los soles y los mares,
España te recoge porque en ella realices
tu majestad de árbol que abarca un continente.

A través de tus huesos irán los olivares
desplegando en la tierra sus más férreas raíces,
abrazando a los hombres universal, fielmente.

---

31 Aparecido originariamente en *La Voz del combatiente*, núm. 95, 5 de abril
de 1937, 6. Nuestra edición restaura en el v. 11 «abarca» (siguiendo el texto
de *La Voz del combatiente* y el de *Viento del pueblo*) por «abrace», que ofrecían
las PC.

ACEITUNEROS

Andaluces de Jaén[32],
aceituneros altivos,
decidme en el alma: ¿quién,
quién levantó los olivos?

No los levantó la nada,
ni el dinero, ni el señor,
sino la tierra callada,
el trabajo y el sudor.

Unidos al agua pura
y a los planetas unidos,   10
los tres dieron la hermosura
de los troncos retorcidos.

---

[32] Publicado por primera vez en *Frente Sur,* núm. 1, Jaén, domingo, 21 de marzo de 1937, fue compuesto el 2 de marzo de 1937, según la fecha que lleva al pie. Son escasos los cambios que introdujo para su impresión en *Viento del pueblo:* añadidura de una coma (v. 3), uso de tipos itálicos (v. 13) y la supresión de una coma al fin del v. 30. El poeta, que trata de motivar para la guerra a los campesinos andaluces, expone en una prosa, publicada por A. Sánchez Vidal, la atmósfera de reivindicación política, de donde surge este poema: «Pero al campesino andaluz le ha llegado su risueña hora. Desde la alta ciudad de Jaén contemplo Andalucía, esta tierra generosa, ágil, graciosa y valiente como sus criaturas. La guerra zumba en ella. En ella lucha el campesino frente al terrateniente, el despojado de todo frente al que todo lo tiene... Hoy, el aceitunero, el minero, el mulero, que han trabajado estérilmente jornadas de catorce y dieciséis horas, se juegan en esta guerra mucho más: no se trata sólo de la independencia de España. El trabajador español se juega hoy, por todos los trabajadores del mundo, su porvenir y el de sus hijos» («La

Levántate, olivo cano,
dijeron al pie del viento.
Y el olivo alzó una mano
poderosa de cimiento.

Andaluces de Jaén,
aceituneros altivos,
decidme en el alma: ¿quién
amamantó los olivos?   20

Vuestra sangre, vuestra vida,
no la del explotador
que se enriqueció en la herida
generosa del sudor.

No la del terrateniente
que os sepultó en la pobreza,
que os pisoteó la frente,
que os redujo la cabeza.

Árboles que vuestro afán
consagró al centro del día   30
eran principio de un pan
que sólo el otro comía.

¡Cuántos siglos de aceituna,
los pies y las manos presos,
sol a sol y luna a luna,
pesan sobre vuestros huesos!

---

lucha y la vida del campesino andaluz», Jaén, 4 de marzo de 1937, TMV 208-209). El vigoroso mensaje político impregna la forma. Serge Salaün dice: «ritmo, rimas, estrofas, estructuras gramaticales, metáforas, temporalidad, etc. (es decir, todos los mecanismos acústicos, sintácticos y retóricos), todo converge en un discurso total, a la vez conocimiento y acción, conciencia y perspectivas, afirmación y dialéctica, un discurso en el que el material y la idea, el lenguaje y el mundo, producen una *forma* ideológica y poéticamente plena» (PGE, 377).

Andaluces de Jaén,
aceituneros altivos,
pregunta mi alma: ¿de quién,
de quién son estos olivos?[33].   40

Jaén, levántate brava
sobre tus piedras lunares,
no vayas a ser esclava
con todos tus olivares.

Dentro de la claridad
del aceite y sus aromas,
indican tu libertad
la libertad de tus lomas.

---

[33] Mientras subraya el hecho básico de que son los campesinos andaluces
con su trabajo, y no los terratenientes, los que fecundan y enriquecen los
campos (estr. 2-4, 6-9), el poeta introduce un hábil recurso retórico al repetir estratégicamente la interrogación (estr. 1, 5, 10) invitando al lector u
oyente a la meditación y a la búsqueda de una respuesta, que él ya está sugi-
riendo.

VISIÓN DE SEVILLA

Quién te vera, ciudad de manzanilla[34],
amorosa ciudad, la ciudad más esbelta,
que encima de una torre llevas puesto: Sevilla?

Dolor a rienda suelta:
la ciudad de cristal se empaña, cruje.
Un tormentoso toro da una vuelta
al horizonte y al silencio, y muge.

Detrás del toro, al borde de su ruina,
la ciudad que viviera
bajo una cabellera de mujer soleada,   10
sobre una perfumada cabellera,
la ciudad cristalina
yace pisoteada.

Una bota terrible de alemanes poblada
hunde su marca en el jazmín ligero,
pesa sobre el naranjo aleteante:
y pesa y hunde su talón grosero
un general de vino desgarrado,

---

[34] Se publica casi simultáneamente, durante su viaje por la Unión Soviética, en el libro *Viento del pueblo* y en *Hora de España*, núm. 9, Valencia, septiembre de 1937, 43-45. Ambas versiones reproducen exactamente el mismo texto, incluso la misma puntuación.

de lengua pegajosa y vacilante,
de bigotes de alambre groseramente astado.   20

Mirad, oíd: mordiscos en las rejas,
cepos contra las manos,
horrores reluciendo por las cejas,
luto en las azoteas, muerte en los sevillanos.

Cólera contenida por los gestos,
carne despedazada ante la soga,
y lágrimas ocultas en los tiestos,
en las roncas guitarras donde un pueblo se ahoga.

Un clamor de oprimidos,
de huesos que exaspera la cadena,   30
de tendones talados, demolidos
por un cuchillo siervo de una hiena.

Se nubló la azucena,
la airosa maravilla:
patíbulos y cárceles degüellan los gemidos,
la juventud, el aire de Sevilla.

Amordazado el ruiseñor, desierto
el arrayán, el día deshonrado,
tembloroso el cancel, el patio muerto
y el surtidor, en medio, degollado.   40

¿Qué son las sevillanas
de claridad radiante y penumbrosa?
Mantillas mustias, mustias porcelanas
violadas a la orilla de la fosa.

Con angustia y claveles oprime sus ventanas
la población de abril. La cal se altera
eclipsada con rojo zumo humano.

Guadalquivir, Guadalquivir, espera:
¡no te lleves a tanto sevillano!

A la ciudad del toro sólo va el buey sombrío,   50
en la ciudad de mayo sólo hay grises inviernos,
en la ciudad del río
sólo hay podrida sangre que resbala:
sólo hay innobles cuernos
en la ciudad del ala.

Espadas impotentes y borrachas,
junto a bueyes borrachos,
se arrastran por la eterna ciudad de las muchachas,
por la airosa ciudad de los muchachos.

¿Quién te verá, ciudad de manzanilla,   60
amorosa ciudad, la ciudad más esbelta,
que encima de una torre llevas puesto: Sevilla?

Yo te veré: vendré desde Castilla,
vengo desde la tierra castellana,
llego a la Andalucía olivarera,
llamado por la sangre sevillana
fundida ya en claveles por esta primavera.

Vengo con una ráfaga guerrera
de jinetes y potros populares,
que están cavando al monstruo la agonía   70
entre cortijos, torres y olivares.

Avanza, Andalucía,
a Sevilla, y desgarra las criminales botas:
que el pueblo sevillano recobre su alegría
entre un estruendo de botellas rotas.

CENICIENTO MUSSOLINI

Ven a Guadalajara, dictador de cadenas[35],
carcelaria mandíbula de canto:
verás la retirada miedosa de tus hienas,
verás el apogeo del espanto.

Rumorosa provincia de colmenas,
la patria del panal estremecido,
la dulce Alcarria, amarga como el llanto,
amarga te ha sabido.

Ven y verás, mortífero bandido[36],
ruedas de tus cañones,   10
banderas de tu ejército, carne de tus soldados,

---

[35] En su primera aparición en *La Voz del combatiente*, núm. 83, 24 de marzo de 1937, 4, lleva el título «Sanguinario Mussolini» y ofrece pocas variantes de interés, siendo la más llamativa el uso de numerosos signos de admiración en la incitación a la revuelta dirigida al pueblo italiano (vv. 55-61). En la versión de Líster (214-216), que no ofrece cambios notables y sí una puntuación descuidada, lleva el título «Sanguinario Mussolini» y también usa los abundantes signos de admiración de los versos citados. El tono rabioso y agresivo del frente se suaviza con el tiempo. Adopto el texto de *Viento del pueblo* y me permito corregir la clara errata de «extremecido» por «estremecido» (v. 6).

[36] El poeta utiliza como eficaz técnica retórica lo que llama M. Chevallier «formas de la evidencia», que consisten en mostrar los hechos y dejarlos hablar como el mejor modo de inducir al lector a formarse un juicio sobre ellos. «El verbo *ver* es clave entre estas formas que la propaganda ha elevado a dignidad poética» (*La escritura,* 316). Véanse vv. 1, 9, 30, 37.

huesos de tus legiones,
trajes y corazones destrozados.

Una extensión de muertos humeantes:
muertos que humean ante la colina,
muertos bajo la nieve,
muertos sobre los páramos gigantes,
muertos junto a la encina,
muertos dentro del agua que les llueve.

Sangre que no se mueve   20
de convertida en hielo.

Vuela sin pluma un ala numerosa,
roja y audaz, que abarca todo el cielo
y abre a cada italiano la explosión de una fosa.

Un titánico vuelo
de aeroplanos de España
te vence, te tritura,
ansiosa telaraña,
con su majestuosa dentadura.

Ven y verás sobre la gleba oscura   30
alzarse como fósforo glorioso,
sobreponerse al hambre, levantarse del barro,
desprenderse del barro con emoción y brío
vívidas esculturas sin reposo,
españoles del bronce más bizarro,
con el cabello blanco de rocío.

Los verás rebelarse contra el frío,
de no beber la boca dilatada,
mas vencida la sed con la sonrisa:
de no dormir extensa la mirada,   40
y destrozada a tiros la camisa.

Manda plomo y acero
en grandes emisiones combativas,

con esa voluntad del carnicero
digna de que la entierren las más sucias salivas.

Agota las riquezas italianas,
la cantidad preciosa de sus seres,
deja exhaustas sus minas, sin nadie sus ventanas,
desiertos sus arados y mudos sus talleres.

Enviuda y desangra sus mujeres: 50
nada podrás contra este pueblo mío,
tan sólido y tan alto de cabeza,
que hasta sobre la muerte mueve su poderío,
que hasta del junco saca fortaleza.

Pueblo de Italia, un hombre te destroza:
repudia su dictamen con un gesto infinito.
Sangre unánime viertes que ni roza,
ni da en su corazón de teatro y granito.
Tus muertos callan clamorosamente
y te indican un grito   60
liberador, valiente.

Dictador de patíbulos, morirás bajo el diente[37]
de tu pueblo y de miles.
Ya tus mismos cañones van contra tus soldados,
y alargan hacia ti su hierro los fusiles
que contra España tienes vomitados.

Tus muertos a escupirnos se levanten:
a escupirnos el alma se levanten los nuestros
de no lograr que nuestros vivos canten
la destrucción de tantos eslabones siniestros.   70

---

[37] Morelli hace notar el «terribile, per quanto veridico vaticinio sulla morte di Mussolini» (58).

LAS MANOS

Dos especies de manos se enfrentan en la vida[38],
brotan del corazón, irrumpen por los brazos,
saltan, y desembocan sobre la luz herida
a golpes, a zarpazos.

La mano es la herramienta del alma, su mensaje,
y el cuerpo tiene en ella su rama combatiente.
Alzad, moved las manos en un gran oleaje,
hombres de mi simiente.

Ante la aurora veo surgir las manos puras
de los trabajadores terrestres y marinos,   10
como una primavera de alegres dentaduras,
de dedos matutinos.

Endurecidamente pobladas de sudores[39],
retumbantes las venas desde las uñas rotas,
constelan los espacios de andamios y clamores,
relámpagos y gotas.

---

[38] Se publica por primera vez en *Ayuda, Semanario de la solidaridad*, núm. 47,
Madrid, 20 de marzo de 1937, 1. Al fin se añade lo que debe ser el lugar y fecha de su composición: «Madrid, 15 de febrero de 1937». Este dato aparece
también en una copia del poema, mecanografiada con papel de calcar negro,
que reproduce exactamente el texto que damos (Archivos de M. Hernández,
Carpeta 136, Doc. A-297).
[39] Para incluirlo en *Viento del pueblo* Miguel Hernández ha limado el poema
haciendo varias correcciones del texto publicado en *Ayuda*. Con ellas logra

Conducen herrerías, azadas y telares,
muerden metales, montes, raptan hachas, encinas,
y construyen, si quieren, hasta en los mismos mares
fábricas, pueblos, minas.   20

Estas sonoras manos oscuras y lucientes
las reviste una piel de invencible corteza,
y son inagotables y generosas fuentes
de vida y de riqueza.

Como si con los astros el polvo peleara,
como si los planetas lucharan con gusanos,
la especie de las manos trabajadora y clara
lucha con otras manos.

Feroces y reunidas en un bando sangriento,
avanzan al hundirse los cielos vespertinos   30
unas manos de hueso lívido y avariento,
paisaje de asesinos.

No han sonado: no cantan. Sus dedos vagan roncos,
mudamente aletean, se ciernen, se propagan.
Ni tejieron la pana, ni mecieron los troncos,
y blandas de ocio vagan.

Empuñan crucifijos y acaparan tesoros
que a nadie corresponden sino a quien los labora,
y sus mudos crepúsculos absorben los sonoros
caudales de la aurora.   40

---

unas veces mayor precisión («terrestres» por «terrenos», v. 10) y otras una in-
tensificación de su fuerza y eficacia expresiva. En el v. 13 pone «endurecidamente» en vez de «encallecidamente»; en v. 15 «los espacios» sustituye «el espacio» por razones de sonoridad; en v. 25 «el polvo» sustituye «la niebla»,
dando vigor y grandeza épica al contraste; y en v. 31 «unas manos» reemplaza
«estas manos» para corregir una posible confusión. Nadie debe pensar que
son las manos del poeta las que forman parte de «un bando sangriento». En
cuanto a puntuación, sustituye dos veces punto y coma por coma (vv. 17, 18)
y punto y coma por dos puntos (vv. 33, 42), mientras suprime una coma después de «bombardeos» (v. 41).

Orgullo de puñales, arma de bombardeos
con un cáliz, un crimen y un muerto en cada uña:
ejecutoras pálidas de los negros deseos
que la avaricia empuña.

¿Quién lavará estas manos fangosas que se extienden
al agua y la deshonran, enrojecen y estragan?
Nadie lavará manos que en el puñal se encienden
y en el amor se apagan.

Las laboriosas manos de los trabajadores
caerán sobre vosotras con dientes y cuchillas.   50
Y las verán cortadas tantos explotadores
en sus mismas rodillas[40].

  40 J. Valverde destaca la estructura total de «Las manos» como una *dualidad antitética sucesiva,* en que, tras introducir el contraste en el v. 1, «los dos términos de la antítesis [las manos trabajadoras y fecundas frente a las manos ociosas y estériles] se desarrollan, sucesivamente, en dos movimientos, con enfrentamiento situado en el punto de conexión de ambos» [estr. 7], creando una perfecta forma simétrica. La distribución de las estrofas se estructura para dramatizar el tema central: «una estrofa inicial, que presenta la antítesis; cinco, que desarrollan el primer término antitético; una estrofa de transición, que es el punto de conexión y enfrentamiento; cinco, que desarrollan el segundo término antitético; una estrofa final, que expresa la superación de la antítesis. O sea: 1 - 5 - 1 - 5- 1» («Temática y circunstancia vital en M. H.», en Ifach, *Miguel Hernández,* 221).

EL SUDOR

En el mar halla el agua su paraíso ansiado[41]
y el sudor su horizonte, su fragor, su plumaje.
El sudor es un árbol desbordante y salado,
un voraz oleaje.

Llega desde la edad del mundo más remota
a ofrecer a la tierra su copa sacudida,
a sustentar la sed y la sal gota a gota,
a iluminar la vida.

Hijo del movimiento, primo del sol, hermano
de la lágrima, deja rodando por las eras,   10
del abril al octubre, del invierno al verano,
áureas enredaderas.

Cuando los campesinos van por la madrugada[42]
a favor de la esteva removiendo el reposo,
se visten una blusa silenciosa y dorada
de sudor silencioso.

---

[41] Se publica por primera vez en el libro *Viento del pueblo* y casi simultáneamente aparece en *Hora de España*, núm. 9, Valencia, septiembre de 1937. El
poema es muy anterior, pues en una copia mecanografiada con papel de calcar negro, en que el texto aparece exactamente como en *Viento del pueblo*, se
dice al fin: «Madrid, 24 de febrero de 1937» (Archivos de M. Hernández,
Carpeta 137, Doc. A-298).

[42] A partir del v. 9, y sobre todo del 13, el poema eleva su tono y «se convierte en un canto celebrativo, himno al trabajo y a los trabajadores, como
también a la tierra fecundada por el sudor humano» (Morelli, 56). Su lirismo

Vestidura de oro de los trabajadores,
adorno de las manos como de las pupilas.
Por la atmósfera esparce sus fecundos olores
una lluvia de axilas.   20

El sabor de la tierra se enriquece y madura:
caen los copos del llanto laborioso y oliente,
maná de los varones y de la agricultura,
bebida de mi frente.

Los que no habéis sudado jamás, los que andáis yertos
en el ocio sin brazos, sin música, sin poros,
no usaréis la corona de los poros abiertos
ni el poder de los toros.

Viviréis maloliendo, moriréis apagados:
la encendida hermosura reside en los talones   30
de los cuerpos que mueven sus miembros trabajados
como constelaciones.

Entregad al trabajo, compañeros, las frentes:
que el sudor, con su espada de sabrosos cristales,
con sus lentos diluvios, os hará transparentes,
venturosos, iguales[43].

---

surge aquí de una visión del mundo auténtica y sentida. No es extraño que
tanto este poema como «Las manos» reflejen el tipo de poesía que él deseaba
escribir: «En ellos me encuentro más cerca de lo que quiero expresar», dijo el
poeta a Jorge Luzuriaga, según testimonio de éste, en una conversación for-
tuita, cerca de Castellón, en la primavera de 1938 («Encuentro con M. Hernández», *La Nación*, Buenos Aires, 13 de enero de 1963, en Ifach, *Miguel Hernández*, 55).

[43] «El sudor» ha sido muy comentado y celebrado por la crítica. Ya Ramón Gaya lo ensalzaba como «un poema que nos impresiona y que puede ca-
lificarse de muy hermoso» (*Hora de España*, núm. 17, Valencia, mayo de
1938, 147-48) por su presentación embellecida y poética de una sustancia tan
prosaica. Stephen Hart resalta el carácter innovador del tema, como una de
las sustancias impuras sugeridas por P. Neruda en el manifiesto sobre una
poesía impura, y por la huella gongorina presente en metáforas como «el plumaje» (v. 2), «áureas enredaderas» (v. 12), «cristales» (v. 34), y la tendencia a
«embellecer y sublimar cuanto toca». Puede considerarse este poema como
«una muestra ejemplar de la independencia literaria de Hernández» frente a

Neruda, al enlazar «poesía social y gongorina» en un poema de gran originalidad (S. Hart, «Miguel Hernández y Pablo Neruda: dos modos de influir», *Las relaciones literarias entre España e Iberoamérica*, ed. L. Sainz de Medrano (Madrid, Universidad Complutense, 1987), 83-84. Véase también Puccini, 81.

JURAMENTO DE LA ALEGRÍA

Sobre la roja España blanca y roja[44],
blanca y fosforescente,
una historia de polvo se deshoja,
irrumpe un sol unánime, batiente.

Es un pleno de abriles,
una primaveral caballería,
que inunda de galopes los perfiles
de España: es el ejército del sol, de la alegría.

Desaparece la tristeza, el día
devorador, el marchitado tallo,   10
cuando, avasalladora llamarada,
galopa la alegría en un caballo
igual que una bandera desbocada.

---

[44] Se publica, casi simultáneamente, sin ninguna variante de texto ni puntuación, en *Viento del pueblo* y *Hora de España*, núm. 9, Valencia, septiembre de 1937. M. Chevallier interpreta el optimismo que impregna todo el poema como una «afirmación de la voluntad de victoria», «no es sino un modo de obligarse por juramento a la victoria» (*L'homme*, 285). Con este objetivo el poeta despliega, según Cano Ballesta, una «musicalidad y riqueza rítmica de grandes efectos, que con su fuerza mágica adormece y quebranta nuestra resistencia arrastrándonos en el gran torrente de optimismo que invade la naturaleza» (PMH, 207). Obsérvese la arrolladora musicalidad del poema y en particular de los versos 11-25.

A su paso se paran los relojes,
las abejas, los niños se alborotan,
los vientres son más fértiles, más profusas las trojes,
saltan las piedras, los lagartos trotan.

Se hacen las carreteras de diamantes,
el horizonte lo perturban mieses
y otras visiones relampagueantes,   20
y se sienten felices los cipreses.

Avanza la alegría derrumbando montañas
y las bocas avanzan como escudos.
Se levanta la risa, se caen las telarañas
ante el chorro potente de los dientes desnudos.

La alegría es un huerto del corazón con mares
que a los hombres invaden de rugidos,
que a las mujeres muerden de collares
y a la piel de relámpagos transidos.

Alegraos por fin los carcomidos,   30
los desplomados bajo la tristeza:
salid de los vivientes ataúdes,
sacad de entre las piernas la cabeza,
caed en la alegría como grandes taludes.

Alegres animales,
la cabra, el gamo, el potro, las yeguadas,
se desposan delante de los hombres contentos.
Y paren las mujeres lanzando carcajadas,
desplegando en su carne firmamentos.

Todo son jubilosos juramentos.   40
Cigarras, viñas, gallos incendiados,
los árboles del Sur: naranjos y nopales,
higueras y palmeras y granados,
y encima el mediodía curtiendo cereales.

Se despedaza el agua en los zarzales:
las lágrimas no arrasan,
no duelen las espinas ni las flechas.
Y se grita ¡*Salud!* a todos los que pasan
con la boca anegada de cosechas.

Tiene el mundo otra cara. Se acerca lo remoto   50
en una muchedumbre de bocas y de brazos.
Se ve la muerte como un mueble roto,
como una blanca silla hecha pedazos.

Salí del llanto, me encontré en España,
en una plaza de hombres de fuego imperativo.
Supe que la tristeza corrompe, enturbia, daña...
Me alegré seriamente lo mismo que el olivo.

1.º DE MAYO DE 1937

No sé que sepultada artillería[45]
dispara desde abajo los claveles,
ni qué caballería
cruza tronando y hace que huelan los laureles.

Sementales corceles,
toros emocionados,
como una fundición de bronce y hierro,
surgen tras una crin de todos lados,
tras un rendido y pálido cencerro.

Mayo los animales pone airados: 10
la guerra más se aíra,
y detrás de las armas los arados
braman, hierven las flores, el sol gira.

Hasta el cadáver secular delira.

Los trabajos de mayo:
escala su cenit la agricultura.

---

45 Se publicó por vez primera en *Frente Sur*, núm. 12, Jaén, sábado, 1 de mayo de 1937. Para su inclusión en *Viento del pueblo* tuvo que corregir el v. 4, que extrañamente decía así: «corre tronando que huelan los laureles». Por lo demás, no hay variantes de monta. Está escrito en un tono que lo aproxima a «Juramento de la alegría». Canta el renacer de las fuerzas del mundo vegetal y animal, en ritmo acelerado y tono jubiloso, que parece anunciar el triunfo (el mayo) que todos desean para España.

Aparece la hoz igual que un rayo
inacabable en una mano oscura.

A pesar de la guerra delirante,
no amordazan los picos sus canciones,   20
y el rosal da su olor emocionante,
porque el rosal no teme a los cañones.

Mayo es hoy más colérico y potente:
lo alimenta la sangre derramada,
la juventud que convirtió en torrente
su ejecución de lumbre entrelazada.

Deseo a España un mayo ejecutivo,
vestido con la eterna plenitud de la era.
El primer árbol es su abierto olivo
y no va a ser su sangre la postrera.   30

La España que hoy se ara, se arará toda entera.

EL INCENDIO

Europa se ha prendido, se ha incendiado[46]:
de Rusia a España va, de extremo a extremo,
el incendio que lleva enarbolado,
con un furor, un ímpetu supremo.

Cabalgan sus hogueras,
trota su lumbre arrolladoramente,
arroja sus flotantes y cálidas banderas,
sus victoriosas llamas sobre el triste occidente.

Purifica, penetra en las ciudades,
alumbra, sopla, da en los rascacielos,   10
empuja las estatuas, muerde, aventa:
arden inmensidades

---

[46] Su publicación primera en *Frente Sur*, núm. 16, Jaén, domingo, 16 de
mayo de 1937, anuncia ya la aparición «en breve» de *Viento del pueblo* y ofrece
la forma definitiva del texto. Miguel escribe un poema revolucionario paralelo al que R. Alberti había titulado «Un fantasma recorre Europa». La idea
de la revolución, que se propaga con fuerza arrolladora de este a oeste, toma
cuerpo en dos poderosas imágenes: «el incendio» (vv. 1-14) y «la sombra de
Lenín» (vv. 17-29). El frecuente uso del alejandrino, con su ritmo majestuo-
so y su amplitud solemne, resulta muy apropiado para sugerir la grandiosi-
dad del tema. M. Chevallier comenta: «Incluso un poema como *El incendio*,
que tiene numerosas huellas de imperfección —banalidad de la imagen, pobreza de la idea y del sentimiento, muletillas, repeticiones desacertadas—,
adquiere un aliento, un movimiento, un ritmo, que pueden arrastrar la adhe-
sión del lector» (*La escritura*, 309).

de edificios podridos como leves pañuelos,
cesa la noche, el día se acrecienta.

Cruza una gran tormenta
de aeroplanos y anhelos.
Se propaga la sombra de Lenin, se propaga,
avanza enrojecida por los hielos,
inunda estepas, salta serranías,
recoge, cierra, besa toda llaga,   20
aplasta las miserias y las melancolías.

Es como un sol que eclipsa las tinieblas lunares,
es como un corazón que se extiende y absorbe,
que se despliega igual que el coral de los mares
en bandadas de sangre a todo el orbe.

Es un olor que alegra los olfatos
y una canción que halla sus ecos en las minas.

España suena llena de retratos
de Lenín entre hogueras matutinas.

Bajo un diluvio de hombres extinguidos,   30
España se defiende
con un soldado ardiendo de toda podredumbre.
Y por los Pirineos ofendidos
alza sus llamas, sus hogueras tiende
para estrechar con Rusia los cercos de la lumbre.

CANCIÓN DEL ESPOSO SOLDADO

He poblado tu vientre de amor y sementera[47],
he prolongado el eco de sangre a que respondo
y espero sobre el surco como el arado espera:
he llegado hasta el fondo.

Morena de altas torres, alta luz y ojos altos,
esposa de mi piel, gran trago de mi vida,
tus pechos locos crecen hacia mí dando saltos
de cierva concebida.

Ya me parece que eres un cristal delicado,
temo que te me rompas al más leve tropiezo,   10
y a reforzar tus venas con mi piel de soldado
fuera como el cerezo.

Espejo de mi carne, sustento de mis alas,
te doy vida en la muerte que me dan y no tomo.

---

[47] Aparece por vez primera en *El Mono Azul,* núm. 19, Madrid, jueves, 10 de junio de 1937, aunque fue compuesto en Jaén en fecha anterior, según escribe el poeta a Josefina, en carta del 11 de mayo de 1937: «He hecho, como recordarás que te prometí, esa poesía, que será la que vaya a final del libro [*Viento del pueblo*], para ti y para nuestro hijo» (M. de G. Ifach, «Cartas a Josefina», *Puerto,* Universidad de Puerto Rico, abril-junio de 1968, 63). La versión inicial de *El Mono Azul* fue revisada para inclusión en *Viento del pueblo.* El v. 6: «espejo de mi carne, sustento de mis alas», que se reiteraba en el v. 13, lo sustituye por el vigoroso v. 6 del presente texto evitando la repetición. Además suprime dos comas (vv. 2 y 22), sustituye un punto y coma por una coma (v. 9) y un punto y coma por dos puntos (25).

Mujer, mujer, te quiero cercado por las balas,
ansiado por el plomo.

Sobre los ataúdes feroces en acecho,
sobre los mismos muertos sin remedio y sin fosa
te quiero, y te quisiera besar con todo el pecho
hasta en el polvo, esposa.   20

Cuando junto a los campos de combate te piensa
mi frente que no enfría ni aplaca tu figura,
te acercas hacia mí como una boca inmensa
de hambrienta dentadura.

Escríbeme a la lucha, siénteme en la trinchera:
aquí con el fusil tu nombre evoco y fijo,
y defiendo tu vientre de pobre que me espera,
y defiendo tu hijo.

Nacerá nuestro hijo con el puño cerrado,
envuelto en un clamor de victoria y guitarras,   30
y dejaré a tu puerta mi vida de soldado
sin colmillos ni garras.

Es preciso matar para seguir viviendo[48].
Un día iré a la sombra de tu pelo lejano,
y dormiré en la sábana de almidón y de estruendo
cosida por tu mano.

Tus piernas implacables al parto van derechas,
y tu implacable boca de labios indomables,
y ante mi soledad de explosiones y brechas
recorres un camino de besos implacables.   40

---

[48] Aunque el poeta canta con hondura y delicadeza sin igual a la esposa,
no es a partir de un hedonismo egoísta; sus sentimientos individuales encarnan en sí los de la colectividad, con la que se identifica plenamente y a la que
representa. «De aquí brota —dice Puccini— el *slogan* que de pronto interrumpe, tajante y preciso, la fluencia apasionada de la canción: otra admonición y otra norma para el soldado popular: "es preciso matar para seguir viviendo"» (88). El poeta no se olvida de su pueblo en guerra.

Para el hijo será la paz que estoy forjando.
Y al fin en un océano de irremediables huesos
tu corazón y el mío naufragarán, quedando
una mujer y un hombre gastados por los besos[49].

---

[49] Este poema es —como se ha observado— una de las cumbres de la obra hernandiana, donde se funden, en síntesis original, anteriores tensiones y contradicciones, como erotismo y misticismo religioso, nerudismo y sijeísmo, individualismo burgués y colectivismo popular. A. Sánchez Vidal lo formula con acierto: «Aquí todo está integrado armónicamente: el poeta canta su amor y el de todo soldado que, en las trincheras, estuviese alejado de su esposa; no se trata de solitario, introspectivo y meditabundo petrarquismo, sino de un erotismo liberado que ha encontrado su meta: la maternidad como preparación de la vida, y la lucha que se mantiene para que ese hijo nazca en libertad. El plano colectivo, el de la pareja y el individual están integrados ya en una cosmovisión coherente» (PC, XCIV).

CAMPESINO DE ESPAÑA

Traspasada por junio[50],
por España y la sangre,
se levanta mi lengua
con clamor a llamarte.

Campesino que mueres,
campesino que yaces
en la tierra que siente
no tragar alemanes,
no morder italianos:
español que te abates   10
con la nuca marcada
por un yugo infamante,
que traicionas al pueblo
defensor de los panes:
campesino, despierta,
español, que no es tarde.

---

[50] Aparece publicado por primera vez en *Frente extremeño, Periódico del Altavoz del Frente de Extremadura,* núm. 2, Castuera, 24 de junio de 1937, 3. Va seguido de la nota: «Esta poesía ha sido propagada por Altavoz del Frente de Extremadura, en el frente y retaguardia del campo faccioso de nuestra región.» La poesía es utilizada directamente como arma de lucha que trata de convencer a los campesinos a pasarse al propio bando: vv. 73-74. La versión definitiva del poema en *Viento del pueblo* ofrece un cambio. El poeta quiso, sin duda, limar lo excesivo y truculento de «como un bárbaro y rojo» y lo sustituyó por «como un hondo y sonoro» (v. 51).

Calabozos y hierros,
calabozos y cárceles,
desventuras, presidios,
atropellos y hambres,   20
eso estás defendiendo,
no otra cosa más grande.
Perdición de tus hijos,
maldición de tus padres,
que doblegas tus huesos
al verdugo sangrante,
que deshonras tu trigo,
que tu tierra deshaces,
campesino, despierta,
español, que no es tarde.   30

Retroceden al hoyo
que se cierra y se abre,
por la fuerza del pueblo
forjador de verdades,
escuadrones del crimen,
corazones brutales,
dictadores de polvo,
soberanos voraces.

Con la prisa del fuego,
en un mágico avance,   40
un ejército férreo
que cosecha gigantes
los arrastra hasta el polvo,
hasta el polvo los barre.

No hay quien sitie la vida,
no hay quien cerque la sangre
cuando empuña sus alas
y las clava en el aire.

La alegría y la fuerza
de estos músculos parte   50

como un hondo y sonoro
manantial de volcanes.

Vencedores seremos,
porque somos titanes
sonriendo a las balas
y gritando: *¡Adelante!*
La salud de los trigos
sólo aquí huele y arde.

De la muerte y la muerte
sois: de nadie y de nadie.   60
De la vida nosotros,
del sabor de los árboles.

Victoriosos saldremos
de las fúnebres fauces,
remontándonos libres
sobre tantos plumajes,
dominantes las frentes,
el mirar dominante,
y vosotros vencidos
como aquellos cadáveres.   70

Campesino, despierta,
español, que no es tarde.
A este lado de España
esperamos que pases:
que tu tierra y tu cuerpo
la invasión no se trague.

PASIONARIA

Moriré como el pájaro: cantando[51],
penetrado de pluma y entereza,
sobre la duradera claridad de las cosas.
Cantando ha de cogerme el hoyo blando,
tendida el alma, vuelta la cabeza
hacia las hermosuras más hermosas.

Una mujer que es una estepa sola
habitada de aceros y criaturas,
sube de espuma y atraviesa de ola
por este municipio de hermosuras.   10

Dan ganas de besar los pies y la sonrisa
a esta herida española,
y aquel gesto que lleva de nación enlutada,
y aquella tierra que de pronto pisa
como si contuviera la tierra en la pisada.

---

[51] Tuvo su primera publicación en *Frente Sur,* núm. 24, Jaén, domingo, 13
de junio de 1937, texto que pasó intacto al libro *Viento del pueblo.* Es un gran-
dioso panegírico a Dolores Ibárruri, luchadora y revolucionaria, elevada al
nivel de mito de la clase obrera y del bando republicano. Chevallier llama la
atención sobre la imagen del «árbol transfigurado por un poder que mana de
la potencia divina»: vv. 16-18, 20-35, para añadir: «El símbolo desplegado y
exaltado, árbol de vida y árbol central del mundo, y árbol (Júpiter!) que lanza
rayos, pierde su transcendencia en una visión poética que deja ver tan cruel-
mente los límites de su finalidad extrapoética» *(L'homme,* 336-3370).

Fuego la enciende, fuego la alimenta:
fuego que crece, quema y apasiona
desde el almendro en flor de su osamenta.

A sus pies, la ceniza más helada se encona.

Vasca de generosos yacimientos: 20
encina, piedra, vida, hierba noble,
naciste para dar dirección a los vientos,
naciste para ser esposa de algún roble.

Sólo los montes pueden sostenerte,
grabada estás en tronco sensitivo,
esculpida en el sol de los viñedos.
El minero descubre por oírte y por verte
las sordas galerías del mineral cautivo,
y a través de la tierra las lleva hasta tus dedos.

Tus dedos y tus uñas fulgen como carbones,   30
amenazando fuego hasta a los astros
porque en mitad de la palabra pones
una sangre que deja fósforo entre sus rastros.

Claman tus brazos que hacen hasta espuma
al chocar contra el viento:
se desbordan tu pecho y tus arterias
porque tanta maleza se consuma,
porque tanto tormento,
porque tantas miserias.

Los herreros te cantan al son de la herrería,   40
Pasionaria el pastor escribe en la cayada
y el pescador a besos te dibuja en las velas.

Oscuro el mediodía,
la mujer redimida y agrandada,
naufragadas y heridas las gacelas
se reconocen al fulgor que envía
tu voz incandescente, manantial de candelas.

Quemando con el fuego de la cal abrasada,
hablando con la boca de los pozos mineros,
mujer, España, madre en infinito,   50
eres capaz de producir luceros,
eres capaz de arder de un solo grito.

Pierden maldad y sombra tigres y carceleros.

Por tu voz habla España la de las cordilleras,
la de los brazos pobres y explotados,
crecen los héroes llenos de palmeras
y mueren saludándote pilotos y soldados.

Oyéndote batir como cubierta
de meridianos, yunques y cigarras,
el varón español sale a su puerta   60
a sufrir recorriendo llanuras de guitarras.

Ardiendo quedarás enardecida
sobre el arco nublado del olvido,
sobre el tiempo que teme sobrepasar tu vida
y toca como un ciego, bajo un puente
de ceño envejecido,
un violín lastimado e impotente.

Tu cincelada fuerza lucirá eternamente,
fogosamente plena de destellos.
Y aquel que de la cárcel fue mordido   70
terminará su llanto en tus cabellos.

EUZKADI

Italia y Alemania dilataron sus velas[52]
de lodo carcomido,
agruparon, sembraron sus luctuosas telas,
lanzaron las arañas más negras de su nido.

Contra España cayeron y España no ha caído.

España no es un grano,
ni una ciudad, ni dos, ni tres ciudades.
España no se abarca con la mano
que arroja en su terreno puñados de crueldades.

Al mar no se lo tragan los barcos invasores,   10
mientras existe un árbol el bosque no se pierde,
una pared perdura sobre un solo ladrillo,
España se defiende de reveses traidores,

---

[52] Apareció en *La Voz del combatiente,* núm. 201, 20 de julio de 1937, antes de publicarse en *Viento del pueblo.* Los recursos de la propaganda orientados a ganarse a las multitudes han dejado su huella en este poema y en otros del libro, que incorporan a su texto consignas, eslóganes y gritos de viva o muera: «¡soy un muro!» (v. 27), «Venceré!» (v. 43). Los dos últimos versos del poema, nota Chevallier, considerados como texto propagandístico, «sugieren la irradiación, falsamente sobrenatural, del más banal y radiante sol de cartel de propaganda o de vulgar publicidad», aunque si buscamos en él «la expresión personal (profunda y difícil) del poeta en busca del absoluto humano», podemos llegar a otra conclusión: «el peor cliché de propaganda adquiere ahí una trascendencia espiritual insólita»... (*L'homme,* 360-361).

y avanza, y lucha, y muerde
mientras le quede un hombre de pie como un cuchillo.

Si no se pierde todo no se ha perdido nada.

En tanto aliente un español con ira
fulgurante de espada,
¿se perderá? ¡Mentira!

Mirad, no lo contrario que sucede,   20
sino lo favorable que promete el futuro,
los anchos porvenires que allá se bambolean.
El acero no cede,
el bronce sigue en su color y duro,
la piedra no se ablanda por más que la golpean.

No nos queda un varón, sino millones,
ni un corazón que canta: *¡soy un muro!*,
que es una inmensidad de corazones.

En Euzkadi han caído no sé cuántos leones
y una ciudad por la invasión deshechos.   30
Su soplo de silencio nos anima,
y su valor redobla en nuestros pechos
atravesando España por debajo y encima.

No se debe llorar, que no es la hora,
hombres en cuya piel se transparenta
la libertad del mar trabajadora.

Quien se para a llorar, quien se lamenta
contra la piedra hostil del desaliento,
quien se pone a otra cosa que no sea el combate,
no será un vencedor, será un vencido lento.   40

Español, al rescate
de todo lo perdido.
¡Venceré! has de gritar sobre cada momento
para no ser vencido.

Si fuera un grano lo que nos quedara,
España salvaremos con un grano.
La victoria es un fuego que alumbra nuestra cara
desde un remoto monte cada vez más cercano.

FUERZA DEL MANZANARES

La voz del bronce no hay quien la estrangule[53]:
mi voz de bronce no hay quien la corrompa.
No puede ser ni que el silencio anule
su soplo ejecutivo de pasión y de trompa.

Con esta voz templada al fuego vivo,
amasada en un bronce de pesares,
salgo a la puerta eterna del olivo,
y dejo dicho entre los olivares...

El río Manzanares,
un traje inexpugnable de soldado   10
tejido por la bala y la ribera,
sobre su adolescencia de juncos ha colgado.

---

[53] Se publicó por vez primera en el diario alicantino *Nuestra Bandera,* 22 de agosto de 1937, unas semanas antes de la aparición del libro y precedido de esta declaración: «La poesía es en mí una necesidad... En la guerra, la esgrimo como un arma, y en la paz será un arma también aunque reposada. Vivo para exaltar los valores puros del pueblo, y a su lado estoy tan dispuesto a vivir como a morir.» El texto del poema en *Nuestra Bandera* muestra las premuras de la primera publicación, por lo que produce un par de erratas («agita» en vez de «agota» [v. 44] y una coma detrás del «que» [v. 47]). También ofrece una lectura que considero oportuna: «a regar *más allá* del Tajo y de los mares» (v. 50), lo que no pareció ser tan convincente al poeta, ya que cambió lo subrayado en «además» con una importante variación del sentido. Sánchez Vidal constata algunas variantes en un manuscrito fragmentario (PC 813), que yo considero superado y corregido por la versión del libro, que muestra un carácter más logrado: «donde *habita* un obrero» lo convierte en «donde *late* un obrero» (c. 51); «detrás de *sus riberas*» en «detrás de sus *balcones*» (v. 53), por la

Hoy es un río y antes no lo era:
era una gota de metal mezquino,
un arenal apenas transitado,
sin gloria y sin destino.

Hoy es una trinchera
de agua que no reduce nadie, nada,
tan relampagueante que parece
en la carne del mismo sol cavada.   20

El leve Manzanares se merece
ser mar entre los mares.

Al mar, al tiempo, al sol, a este río que crece,
jamás podrás herirlos por más que les dispares.

Tus aguas de pequeña muchedumbre,
ay río de Madrid, yo he defendido,
y la ciudad que al lado es una cumbre
de diamante agresor y esclarecido.

Cansado acaso, pero no vencido,
sale de sus jornadas el soldado.   30
En la boca le canta una cigarra
y otra heroica cigarra en el costado.

¿A dónde fue el colmillo con la garra?

La hiena no ha pasado
a donde más quería.

Madrid sigue en su puesto ante la hiena,
con su altura de día.

Una torre de arena
ante Madrid y el río se derrumba.

---

mayor sonoridad; «como un rubí» en «grabado en un rubí» (v. 54) y *«echan*
alegremente» en *«lanzan* alegremente» (v. 59).

En todas las paredes está escrito: 40
Madrid será tu tumba[54].

Y alguien cavó ya el hoyo de este grito.

Al río Manzanares lo hace crecer la vena
que no se agota nunca y enriquece.

A fuerza de batallas y embestidas,
crece el río que crece
bajo los afluentes que forman las heridas.

Camino de ser mar va el Manzanares:
rojo y cálido avanza
a regar, además del Tajo y de los mares,   50
donde late un obrero de esperanza.

Madrid, por él regado, se abalanza
detrás de sus balcones y congojas,
grabado en un rubí de lontananza
con las paredes cada vez más rojas.

Chopos que a los soldados
levantan monumentos vegetales,
un resplandor de huesos liberados
lanzan alegremente sobre los hospitales.

---

[54] El Manzanares como trinchera y Madrid como símbolo de la resistencia contra el fascismo son las ideas centrales que desarrolla el poeta en unos
apuntes o esbozo que revela la gestación de este poema. Reproduzco un breve
pasaje respetando su estado imperfecto: ...«la arena se apartó de su manse-
dumbre y se puso de pie como la bayoneta   la sombra de Madrid va sobre
las naciones   su resplandor de hueso rebelde enarbolado y entra en todos
los huesos y las casas - cantad, poetas que ahora estáis conmigo cantad sus
piedras, su valor, su [espacio en blanco] romped vuestras tristezas cantando
esta alegría - los soldados que aprenden a escribir en las trincheras la carta
primera a la madre y la esposa   y que apenas sabía[n] leer la palabra: muerte, siente[n] el sabor de cada letra dentro de su garganta atravesada - sembrad
Madrid por vuestros países, regad Madrid al son de los martillos - echad su
polvo sobre vuestras bocas...» (Archivos de M. Hernández, Carpeta 272,
Doc. X-21).

El alma de Madrid inunda las naciones,
el Manzanares llega triunfante al infinito,
pasa como la historia sonando sus renglones,
y en el sabor del tiempo queda escrito.

*Otros poemas
del ciclo
de «Viento del pueblo»*

LAS ABARCAS DESIERTAS

Por el cinco de enero[55],
cada enero ponía
mi calzado cabrero
a la ventana fría.

Y encontraban los días,
que derriban las puertas,
mis abarcas vacías,
mis abarcas desiertas.

Nunca tuve zapatos,
ni trajes, ni palabras: 10
siempre tuve regatos,
siempre penas y cabras.

Me vistió la pobreza,
me lamió el cuerpo el río,
y del pie a la cabeza
pasto fui del rocío.

---

[55] Adopto el texto de la versión original aparecida en *Ayuda, Semanario de la solidaridad,* núm. 36, Madrid, 2 de enero de 1937. Sigo también la reproducción en cursivas de las estrofas 1 y 2, 5 y 6, 10 y 11, lo que acentúa su carácter de canción que, tras la variación de unas estrofas, viene a desembocar en el motivo principal del estribillo. Como en otros poemas de guerra («El niño yuntero» y «Aceituneros») la experiencia de la pobreza y miseria, suya y de los suyos, frente a la opulencia de otros, provoca la cólera o rabia del poeta (v. 33), que es personal, pero que al sentirla en común con todos los desposeídos, se transforma en un sentimiento político rebelde y revolucionario.

Por el cinco de enero,
para el seis, yo quería
que fuera el mundo entero
una juguetería.   20

Y al andar la alborada
removiendo las huertas,
mis abarcas sin nada,
mis abarcas desiertas.

Ningún rey coronado
tuvo pie, tuvo gana
para ver el calzado
de mi pobre ventana.

Toda gente de trono,
toda gente de botas   30
se rió con encono
de mis abarcas rotas.

Rabié de llanto, hasta
cubrir de sal mi piel,
por un mundo de pasta
y unos hombres de miel.

Por el cinco de enero[56],
de la majada mía
mi calzado cabrero
a la escarcha salía.   40

---

[56] Se trata de un poema de circunstancias, como prueba la reiteración in-
sistente de la fecha. Por eso se publica unos días antes de la fiesta de los Reyes
Magos, por Socorro Rojo Internacional, para apoyar sus campañas de protec-
ción y ayuda a los niños. Su estructura transparente es expuesta así por Salaün: «El poema se desenvuelve siguiendo una temática simple, pero perfec-
tamente orquestada en torno a unas palabras clave y sus variantes léxicas: *cinco de enero* (seis), *abarca* (zapato, calzado, botas), *cabra* (cabrero, pasto, regato,
majada), *ventana* (puerta). Cada estrofa, que contiene uno o dos elementos de
esta temática, remite a la precedente o a la siguiente, siguiendo la estructura
tradicional de las canciones populares» («Pages retrouvées», 371).

Y hacia el seis, mis miradas
hallaban en sus puertas
mis abarcas heladas,
mis abarcas desiertas.

«EL CAMPESINO»

Aquí, castigando el campo[57]
con el pie, por las besanas,
entrañable como un surco,
crespo como un Guadarrama,
un hombre abundante de hombre
de un empujón se levanta.
Valentín tiene por nombre,
por boca un golpe de hacha,
por apellido González
y por horizonte España.   10

Aquí, entre muertos y heridos
y alrededor de las balas,
fieramente se pasea,
castellanamente habla.

---

[57] Ofrezco, por más cuidado, el texto de PPG, tomado de su publicación
original en *Al Ataque, Órgano de la Brigada 'El Campesino'*, núm. 1, Madrid, 9 de
enero de 1937. Aunque invoca la misma fuente, la versión de S. Salaün, «Pages retrouvées», 351-352, ofrece algunas diferencias de puntuación y suprime los versos 50 y 53. «El Campesino», Valentín González, guerrero comunista de Extremadura, luchador y aventurero, a pesar de su origen humilde y
escasa cultura, llegó a jefe de División del Ejército Republicano. Miguel dice
de él que «es uno de los dirigentes y defensores más apasionados del pueblo»
(PPG, 107). El poeta ofrece un retrato de él en sus prosas «Hombres de la
primera brigada móvil de choque», «No dejar sólo a ningún hombre» y «Carta abierta a Valentín González 'El Campesino'» (PPG, 107-108, 173-175,
125-127).

Con el aire de sus hombros
la atmósfera se huracana.
Sus labores son de guerra
y de muerte sus campañas.
Ha matado muchas bestias
y quiere acabar la casta.   20

En actitud de león,
negro el pelo, roja el alma,
recorre al sol de la pólvora
las anchuras castellanas,
y el corazón, de tan ancho,
se le sale por las mangas.
Lleva, como la madera
del roble y de la carrasca,
revuelta la sien oscura
y masculina la savia,   30
que por los tempestuosos
ojos le bulle y le salta.

Lleva el pecho como un monte,
lleva la boca con rabia,
y una ráfaga de sombra
dando vueltas a su barba.
Miradlo cómo reluce
cuando dice una palabra.
Ante este varón del pueblo,
hasta las piedras más bravas   40
débiles y sin defensa
se sienten y se desgranan.

La cobardía lo esquiva
y el valor duerme en su casa.
Hombres que seguís a este hombre
por laberintos que marchan
a páramos de derrota
y a viñas de triunfo y palma:
que sus cejas de coraje,
y su frente de arrogancia   50

y su piel de valentía
hallen eco en vuestra cara[58].

Con él ganaréis Castilla,
con él ganaréis España
a los de la morería
y a los de la canallada:
con él podremos ganar
toda la tierra del mapa.
Yo he de cantar sus proezas,
yo he de romper mi garganta
en alabanzas al pueblo
y al hombre de sus entrañas,
hasta que queden de mí
los restos de una guitarra.

60

---

[58] El poema fluye, con la sonoridad y espontaneidad épica propia de los mejores romances populares, en largas tiradas de versos elocuentes y rotundos. El ritmo es movido, ágil y lleno de viveza, con llamadas directas a la atención y a los sentidos de los oyentes: «Aquí... Valentín» (v. 1-7), «Miradlo cómo reluce» (v. 37). El tono es ciertamente exaltado y retórico. Pero recordemos lo excepcional del momento que evoca. Se podrá discutir la calidad poética absoluta de este poema, pero creo que es de una gran eficacia comunicativa dentro de su circunstancia histórica y del público a que se dirige. No estoy, pues, de acuerdo con el juicio de M. Chevallier: «Nada más flojo que los poemas dedicados al Campesino...» (L'homme, 263).

DIGNO DE SER COMANDANTE

Hombres que nunca veía[59],
porque no tengo bastantes
ojos para tanto ver,
cuerpo para tantas partes:
hombres que lejos de mí,
aunque hasta mí se acercasen,
vivían como eclipsados
bajo el eclipse del traje,
de repente se aproximan
a mis ojos, a mi carne,   10
a mi corazón poblado
de batallas y habitantes.
Se aproximan, se desnudan,
se desoscurecen y arden,
y para siempre en mi frente
graban la luz de su imagen.

---

[59] Es también un homenaje a Valentín González, 'El Campesino'. El texto es de PPG, que reproduce el original aparecido en *Al Ataque, Órgano de la Brigada 'El Campesino'*, núm. 4, Madrid, 30 de enero de 1937. Como observa A. Ramos-Gascón «por la fecha de composición del romance y las alusiones contenidas en él, se refiere el poeta a los difíciles momentos de la batalla de la carretera de La Coruña, durante los primeros días de enero del 37, cuando Valentín González, 'El Campesino', ostentaba el grado de teniente» y actuó de forma muy enérgica ante la situación caótica en que se hallaban las unidades republicanas (*El Romancero del Ejército Popular*, Madrid, Nuestra Cultura, 1978, 302).

Ayer te desconocía
en medio de los eriales,
de paso por las encinas,
en el resplandor del aire   20
y en el resplandor rabioso
de las bombas y los tanques.
Ayer no hacía memoria
de ti, teniente González.
Hoy te conozco y publico
tus ímpetus de oleaje,
tu sencillez de eucalipto,
tu corazón de combate,
digno de ser capitán,
digno de ser comandante.   30

Aquel día del enero
salió prometiendo sangre
al cielo de la mañana
y a la tierra de la tarde.
El alba pasó ante un grupo
foragido de alemanes,
carnívoro de italianos,
cagado de generales,
y el sol apuntó queriendo
inundarlos de vinagre.   40
La luz se halló entre cañones,
el rocío entre cadáveres,
el azul y sus laureles
y el valor entre encinares,
sobre las frentes erguidas,
sobre los huesos tajantes,
sobre la piel de una tropa
de campesinos leales.

Se oyó una voz torrencial,
se alzó un brazo detonante: 50
eran los de Valentín,
que como tres huracanes
campaba cuando decía:

¡Que no retroceda nadie!
¡Que la muerte nos encuentre
yendo siempre hacia adelante
o dentro de las trincheras
firmes lo mismo que árboles;
a cada herida más fieros,   60
más duros a cada ataque,
más grandes a cada asalto
y a cada muerte más grandes!
¡Y al que ofrezca las espaldas
al enemigo, matadle!

La guerra se hermoseaba
al pie de sus ademanes.
Tronaron las baterías
nutridas de tempestades,
y la voz del Campesino
no cesaba de escucharse   70
ni de iluminar el humo
de la pólvora salvaje.

El teniente de Leal,
González el admirable,
no apartaba de la oreja
aquella voz desbordante,
y echó en su puesto raíces
de heroísmo y de romance.

Por tres veces con tres plomos,
vino la muerte a buscarle: 80
tres heridas le clavaron
tres fusiles criminales,
y a pesar del enemigo,
y a pesar de los pesares,
su juventud parecía
una cumbre invulnerable,
una bandera invencible
y campeadora y gigante.

Cuando perdieron tus venas
fuerzas con que sustentarse   90
y la sangre te sonaba
por los bolsillos, González,
no pediste un hospital
como piden los cobardes,
que pediste una camilla
sobre la que reclinarte
para seguir disparando,
mandando fuego y coraje.

¡Mirad qué ademán tan alto,
mirad qué pecho tan fácil   100
al viento varón y extenso
de las generosidades!

Mujeres que vais al fondo
de la vida a haceros madres:
vuestros abrazos fecundos,
vuestros vientres palpitantes,
hombres de tanto tamaño
sólo merecen poblarles.
Llevan el pueblo en los huesos
y el mediodía en la sangre.   110

MEMORIA DEL 5.º REGIMIENTO

El alba del diecinueve[60]
de julio no se atevía
a precipitar el día
sobre su costa de nieve.
Nadie a despertar se atreve
hosco de presentimiento.
Y el viento del pueblo, el viento
que muevo y aliento yo
pasó a mi lado y pasó
hacia el 5.º Regimiento.   10

Me desperté entre cañones,
y pistolas, y aeroplanos,
y un río de milicianos
como un río de leones.
Eran varios corazones

---

[60] Reproduzco el texto de PPG, y de su publicación original en *Al Ataque, Órgano de la Brigada 'El Campesino'*, núm. 5, Madrid, 6 de febrero de 1937. Celebra al Quinto Regimiento, importante unidad, formada principalmente por comunistas, pero también por socialistas y gentes de otros partidos. No sólo jugó un papel importante en la marcha de la guerra, sino que también actuó como defensor y propagador de la cultura y como «protector de monumentos y obras de arte» (Salaün, «Pages retrouvées», 365). El carácter de homenaje al Quinto Regimiento queda acentuado mediante la reiterada alusión al mismo, a modo de popular estribillo, en los versos finales de las décimas 1, 3, 5, 7 y 9, recurso que presta una estructura trabada y unitaria a todo el poema.

los que en el pecho sentía:
la sublevación ardía,
disparaba, aullaba en torno,
y era el corazón de un horno
el gran corazón del día.   20

Hombres de noble mirada
y de condición más noble,
que han hecho temblar al roble
y desmayarse a la espada:
héroes que parió la nada,
dejando sin movimiento
el monte, el campo, el aliento
de la paz y la labor,
iban a unir su valor
en el 5.º Regimiento.   30

Herrerías y poblados,
minas, talleres y eras
ante las cajas guerreras
enmudecieron parados.
Se marchaban los arados,
y las demás herramientas,
a las casas cenicientas
donde la pobreza anida
al aparecer la vida
con pólvoras y tormentas.   40

Campesinos: segadores,
la fama de los yunteros,
la historia de los herreros
y la flor de los sudores:
albañiles y pastores,
los hombres del sufrimiento,
ante el fatal movimiento
que atropellarlos quería,
fueron a dar su energía
en el 5.º Regimiento.   50

Lejos de los minerales,
los mineros más profundos
se movían iracundos
como los fieros metales;
ausentes de los trigales
y de los besos ausentes,
los campesinos vehementes,
con una sonrisa hostil,
iban detrás del fusil
y de las malvadas gentes.   60

¡Qué largamente seguros
lucharon bajo sus ceños,
qué oscuramente risueños
y qué claramente oscuros!
Eran como errantes muros
generosos de cimiento,
y si llegaba el momento
de morir daban su vida
como una luz encendida
para el 5.º Regimiento.   70

¡Cuántos quedaron allí
donde cuántos no quedaron
y cuántos se recostaron
donde cuántos de pie vi!
Así cayeron, así:
como gigantes lucientes,
enarboladas las frentes
con un orgullo de lanza,
y una expresión de venganza
alrededor de los dientes.   80

España será de España
y español el español
que lleva en la sangre un sol
y en cada gota una hazaña.
No seremos de Alemania

en ningún negro momento
porque el puro sentimiento
que nutre a los españoles
seguirá dando sus soles
para el 5.º Regimiento.

90

ANDALUZAS

Andaluzas generosas[61],
nietas de las de Bailén,
dad a los verdugos fosas
antes que fosas nos den.

Parid y llevad ligeras
hijos a los batallones,
aceituna a las trincheras
y pólvora a los cañones.

Sembrada está la simiente:
y vuestros vientres darán   10
cuerpos de triunfante frente
y bocas de puro pan.

---

[61] Se publica por vez primera en *Frente Sur,* núm. 8, Jaén, jueves, 15 de abril de 1937, cuyo texto adopto.

CANCIÓN DEL ANTIAVIONISTA

Que vienen, vienen, vienen[62]
los lentos, lentos, lentos,
los ávidos, los fúnebres,
los aéreos carniceros.

Que nunca, nunca, nunca
su tenebroso vuelo
podrá ser confundido
con el de los jilgueros.

Que asaltan las palomas
sin hiel. Que van sedientos   10
de sangre, sangre, sangre,
de cuerpos, cuerpos, cuerpos.

Que el mundo no es el mundo.
Que el cielo no es el cielo,
sino el rincón del crimen
más negro, negro, negro.

Que han deshonrado al pájaro.
Que van de pueblo en pueblo,
desolación y ruina
sembrando, removiendo.   20

---

[62] Aparece en *Lucha,* Valencia, 22 de mayo de 1937. Sigo el texto de OC
por no haber podido ver esta publicación.

Que vienen, vienen, vienen
con sed de cementerio
dejando atrás un rastro
de muertos, muertos, muertos.

Que ven los hospitales
lo mismo que los cuervos.

Que nadie duerme, nadie.
Que nadie está despierto.
Que toda madre vive
pendiente del silencio,   30
del ay de la sirena,
con la ansiedad al cuello,
sin voz, sin paz, sin casa,
sin sueño.

Que nadie, nadie, nadie
lo olvide ni un momento.
Que no es posible el crimen.
Que no es posible esto.

Que tierra nuestra quieren.
Que tierra les daremos   40
en un hoyo, a puñados:
que queden satisfechos.

Que caigan, caigan: caigan.
Que fuego, fuego: fuego.

ESPAÑA EN AUSENCIA

Como si se me hubiera muerto el cielo[63]
de España me separo:
salgo en un tren precipitado al hielo
de su materna piedra, de su fuego preclaro.

Un aeroplano ciego me separa,
por el espacio y su topografía,
de mi nación ardientemente clara
dentro del resplandor de la alegría.

Me empuja entre celajes de hermosura,
por Francia, Holanda, Dinamarca y Suecia,   10
a la Rusia que sueño mientras la gleba oscura
de mi cuerpo se pone pálida y menos recia.

---

[63] Acepto el texto de OC. Fue escrito con motivo del viaje a la Unión Soviética. El 31 de agosto de 1937 Miguel Hernández toma el avión desde París para dirigirse a Estocolmo (*Cartas a J*, 198). A lo largo de este impresionante vuelo, o durante su breve estancia en la capital sueca, compone este poema. «Si le impresionan los maravillosos juegos de colores y luces mientras el avión se abre camino entre las nubes ("entre celajes de hermosura"), el mundo exterior queda poco a poco eclipsado ante la obsesiva preocupación por la España que va quedando atrás... Los halagos sensoriales, el espectáculo de luminosidad y colorido, para él nunca visto, se ve desbordado por su rica interioridad lírica donde de improviso surge el mundo de pesadilla que emocionalmente le angustia» (vv. 23-84). Véase J. Cano Ballesta, «Una imagen distorsionada de Europa: Miguel Hernández y su viaje a la Unión Soviética», RILCE, Pamplona, Universidad de Navarra, 1985, 201, 199-210.

Mi piel de amor se enfría, mi corazón se quema
y quema por mis ojos a las demás naciones,
como si fuera mi alma la flor de la alhucema
cerniéndose encendida por tantas extensiones.

Siento como si el sol se fuera distanciando,
agonizando en campos opacos y lunares
donde los lagos tienen instalado su imperio.
Y la tierra parece que se va devorando,   20
y se esparcen sus restos, sus postreros pilares,
y parece que vuelo sobre un gran cementerio.

España, España: ¿quién te ha despoblado?
Nación de toros y de caballeros,
témpano de guitarras y tambores
ensimismado en música bajo el tacón sagrado
del sol, de los luceros,
de los enamorados y de los bailadores.

No te me empequeñece lo remoto:
llegas a estos rincones siderales   30
grandes, grande, tan grande con tu corazón roto,
como una maravilla de vidrios y corales.

Adelfo y arrayán, cal y negrura.
Un árbol que es encina y es palmera
te trae a mí como una selva pura
que inspira el mar desde su edad primera.

Palomar del arrullo desangrado,
prodigioso panal de seca arcilla,
como el panal de cera, acribillado
por el agente del perpetuo crimen   40
que todo lo destruye y acribilla.

Al mismo tiempo que tus madres gimen
te alejas: no te alejas.
Va conmigo tu anhelo,

van conmigo los cielos cruzados de tus rejas
que eran a medianoche palomares en celo.

Va conmigo tu pueblo que es el mío,
cercado por la fiebre fratricida
de la guerra que ejercen los tiranos.
Mi pasión de español describe un río   50
de cólera y espuma sumergida
en el camino de los aeroplanos.

Subes conmigo, vas de cumbre en cumbre,
mientras tus hijos, mis hermanos, ruedan
como ganaderías de indestructible lumbre,
de torres y cristales:
de potros que descienden y se quedan,
chocándose, volcándose, suspensos
de varios precipicios celestiales,
de relincho a torrentes y los brazos inmensos.   60

Con tus muertos que llegan en bandada
a lagos de mercurio siempre vivo,
a remansos de espejos y descanso
que no ha de enturbiar nada:
con tus apasionados gérmenes combativos
para siempre en descanso,
va por Europa entera mi mirada.

Van conmigo tus muertos, tus caídos,
mis caídos, mis muertos:
pesan en lo más alto de mis huesos queridos,   70
navegantes y abiertos.
Ellos me arrojan con el puño en alto
a saludar a Rusia por Moscú y por Ucrania,
y me quieren hacer retroceder de un salto
para escupir lo sucio de Italia y de Alemania.

Abrasadora España, amor, bravura.
Por mandato del sol y de tantos planetas
lo más hermoso y amoroso y fiero.

Te siento como el alma bajo la quemadura
de la invasión extraña,
sus municiones y sus bayonetas,
y no sé navegar, vivir viajero.

Ayer mandé una carta y un beso para España
donde está la mujer que yo más quiero.

CANCIÓN DE LA AMETRALLADORA

De mis hombros desciende[64],
codorniz de metal,
y a su nido de arena
va la muerte a incubar.

Acaricio su lomo,
de humeante crueldad.
Su mirada de cráter,
su pasión de volcán
atraviesa los cielos
cuando se echa a mirar,   10
con mis ojos de guerra
desplegados detrás.

---

[64] Reproduzco el texto original aparecido en *Pasaremos,* II, núm. 65, 12 de diciembre de 1937. Éste ofrece ya dos versos que omitían OC y PC: «malherir, *disparar / y la mano precisa / esgrimir,* además» (18-20). Lo añadido (el texto en bastardilla) da sentido pleno a la frase, que carecía de él. Balcells («Consideraciones», 29) atribuye a la versión dramática de *Pastor de la muerte* (OC 913-916), que es posterior, estos dos versos que, como indico, están ya en la versión autónoma de *Pasaremos.* Esto debilita sus conclusiones. El texto de la pieza teatral introduce estas variantes: «pico» en vez de «lomo» (v. 5), «que acobarda la carne / del cañón más fatal» (vv. 27-28), «donde llega el disparo» (v. 35): suprime la coma al fin de los vv. 25, 43, 81; cambia el punto y coma por dos puntos en los vv. 34, 52, 78; cambia la coma por dos puntos en v. 50; cambia punto y coma por punto en v. 54 (comenzando con mayúscula el v. siguiente), e introduce una coma después de «Sed» (v. 67).
El título, con su patético oxímoron (canción = amor, ternura, gozo; «ame-

Entre todas las armas,
es la mano y será
siempre el arma más pura
y la más inmortal.
Pero hay tiempos que exigen
malherir, disparar
y la mano precisa
esgrimir, además   20
de los puños de hierro,
hierro más eficaz.

Frente a mí varias líneas
de asesinos están,
acechando mi vida,
campeadora y audaz,
que acobarda al acecho
y al cañón más fatal.

Con el alba en el pico,
delirante y voraz,   30
con rocío, mi arma
se dedica a cantar.

Donde empieza su canto,
el relámpago va;

---

tralladora» = destrucción, muerte, odio), revela la feroz tensión de todo el
poema, donde la furia bélica se expresa en suaves metáforas de aves y pájaros:
«codorniz», «acaricio su lomo», «tórtola en celo», «con el alba en el pico... se
dedica a cantar». El gesto de ternura («acaricio su lomo») lo es en realidad de
destrucción y muerte. Chevallier nota: «Hubiéramos podido creer perdida
toda lucidez crítica, extinguida toda piedad, en el sadismo de imágenes ambi-
guas portadoras de muerte: "Canta, tórtola en celo"» (*L'homme*, 271). Floren-
ce Delay resalta, por su parte, la inspiración del poeta «que ha ennoblecido
para siempre el sudor, el pan y la cebolla, y que en una escena extraordinaria
transforma las armas en aves de libertad» (Véase J. Cano Ballesta, *En torno*,
133). Lo cierto es que el poeta vive esa tremenda contradicción que le impo-
ne la guerra, el tener que matar por amor a su pueblo: «Es preciso matar para
seguir viviendo» («Canción del esposo...»), «Hoy el amor es muerte / y el
hombre acecha al hombre» («Canción primera»). Esta pura contradicción de
amor y odio halla su más condensada expresión en este poema.

donde acaba el disparo
de su trino mortal,
no es posible la vida,
no es posible jamás.

¡Ay, cigüeña que picas
en el viento del mal,
fieramente, anhelando
su exterminio total!
Canta, tórtola en celo,
que en mis manos estás,
encendida hasta el ascua,
disparada hasta el mar.

Malas ansias se acercan,
pero no pasarán.
Escuchadla en el centro
del combate, escuchad.

Hambre loca, insaciada
con la carne y el pan;
sed que aumenta la fuente
de mi sed fraternal;
fuego bien orientado,
que ni el agua es capaz,
ni la nieve más larga,
de rendir, de aplacar.

Sobre cada colina
de la tierra que hay,
sobre todas las cumbres,
en un rapto animal,
abalánzate, ciérnete,
canta y vuelve a cantar,
máquina de mi alma
y de mi libertad.

Sed, ametralladoras,
desde aquí y desde allá,

40

50

60

contra aquellos que vienen
a coger sin sembrar. 70

Vedme a mí desvelado,
sepultando maldad
con semilla de plomo
que jamás verdeará,
sobre España mi sombra,
sobre el sol mi verdad.

Sed la máquina pura
que hago arder y girar;
la muralla de máquinas 80
de la frágil ciudad
del sudor, del trabajo,
defensor de la paz.
Y al que intente invadirla
de vejez, enturbiad
sus paredes con sangre,
¡disparad!

TERUEL

Líster, la vida, la cantera, el frío[65]:
tú, la vida, tus fuerzas como llamas,
Teruel como un cadáver sobre un río.

La efusión de las piedras y las ramas,
la vida derramando un vino rudo
cerca de aquel cadáver con escamas.

Aquel cadáver defendió su escudo,
su muladar, su herrumbre, su leyenda:
pero la vida prevalece y pudo.

Por mucho que un cadáver se defienda,   10
la muerte está sitiada, acorralada,
cercada por la vida más tremenda.

---

[65] Debió ser compuesto en diciembre de 1937, a raíz de la conquista republicana de Teruel, en la que el poeta tomó parte activa. Ver «Introducción»,
págs. 31-33. De las dos versiones más autorizadas que tenemos, la de Puccini
procede de un «texto manuscrito» que el mismo poeta envió a Vittorio Vidali (el Comandante Carlos Contreras) acompañándolo de una carta que el citado crítico publica (Puccini, 191). Es cierto que al texto de «Teruel» de OC
no le acompaña ninguna indicación de origen y que, por otra parte, ambas
versiones ofrecen soluciones valiosas. Fundado en razones de crítica interna
yo me inclino, contra el parecer de Puccini, a dar preferencia al texto de OC,
que es el que reproduzco, como más elaborado, añadiendo, por su importan-
cia, las otras variantes textuales. Enrique Líster (*Memorias,* 313-314) ofrece
otro tercer texto del poema cuyas variantes, sin aportar nada nuevo, adoptan
ya las soluciones de Puccini ya las de OC. Se trata, pues, de una versión inter-

Ni con la condición de la nevada[66]
el círculo de hogueras se deshace,
se rompe el cerco de la llamarada.

No hay quien lo enfríe, quien lo despedace[67].
Retrocede la helada en las orejas
de este fuego vital que sopla y hace.

Contra la muerte, contra sus ovejas,
quemando de bravura el armamento[68],   20
disparas las pasiones y las cejas.

Líster, la vida, piedra del portento[69],
necesita una forma victoriosa,
y habrás de trabajarla con tu aliento.

Cantero de la piedra en cada cosa,
exiges la materia de tu hispano[70]
granito, que es la piedra más hermosa.

En el granito se probó tu mano,
como en la harina, el yeso y la madera
se prueba tanto puño de artesano.   30

Eso es hacer la mano duradera,
y eso es vivir a prueba de peñones,
y eso es ahondar la sangre y la cantera.

---

media, que bien pudiera ser posterior a las otras dos y de Miguel Hernández.
Si esto se pudiera comprobar, y si constara que este texto es del poeta, tendríamos en él la versión definitiva.

[66] «Ni con la *obstinación* de la nevada» (Puccini).

[67] «No hay quien lo *hiele*, quien lo despedace» (Puccini). «Enfríe» evita una
repetición malsonante de «hiele» con «helada» del verso siguiente.

[68] «*fundiendo* de bravura el armamento» (Puccini). Aunque «fundiendo» resulta más intenso (yo diría que es excesivo), «quemando» mantiene mejor la
coherencia y gradual avance de la estrofa al presentar la «bravura» como fuego interno que enciende los pechos y prepara el desencadenamiento del
v. 21.

[69] «Líster, la vida, *su peñón violento*» (Puccini).

[70] «exiges la materia de *ese* hispano» (Puccini).

Sobre el cadáver de Teruel te impones,
y el alma en los disparos se te escapa
frente a la nieve y a sus municiones[71].

Impulsos con el aire de tu capa
das a tu potro, puesto a cada instante[72]
a recobrar las pérdidas del mapa.

Yo me encontré con este comandante,   40
bajo la luz de los dinamiteros,
en el camino de Teruel, delante.

Han cogido a la muerte los canteros
la primera ciudad, y en esta historia
se han derramado varios compañeros.

En su sangre se envuelve la victoria[73].

---

[71] *«y en disparos el alma* se te escapa / *al pie de las nevadas municiones»*
(Puccini).

[72] *«Los caballos que envuelves en la capa / impulsas, impulsado* a cada instante»
(Puccini). La versión de OC corrige el escaso sentido del v. 37 y la dureza repetitiva del siguiente.

[73] *A la muerte arrebatan* los canteros
la primera ciudad: *por sus collados*
se han derramado varios compañeros
¡Qué victoriosamente derramados! (Puccini).

LAS PUERTAS DE MADRID

Texto de Miguel Hernández
música de Lan Adomian

Las puertas son del cielo[74],
las puertas de Madrid.
Cerradas por el pueblo
nadie las puede abrir.
Cerradas por el pueblo
nadie las puede abrir.

El pueblo está en las calles
como una hiriente llave,
la tierra a la cintura

---

[74] Apartándome de, OC 905, PC 543 y TC 526, que toman el texto del drama *Pastor de la muerte,* sigo la versión autónoma publicada en *Comisario,* núm. 3, Madrid, 3 de noviembre de 1938, 47-48, que refleja con mayor fidelidad su carácter de canción y que es la versión puesta en música por el compositor y combatiente de las Brigadas Internacionales Lan Adomian. El texto sugiere, como también piensa Sánchez Vidal (PC, CXL) y parece suponer Carlos Palacio, que fue una de las canciones repetidas por los milicianos en la defensa de Madrid, en el otoño de 1936. La variante más significativa es «El pueblo está en las calles» (v. 7), que sustituye a «El pueblo está en las puertas», mejorando considerablemente el sentido de la estrofa. Por lo demás hay algunas diferencias en la puntuación. Esta canción, como otras sobre «uno de los más grandiosos episodios de nuestra guerra: la Defensa de Madrid» era cantada por «los coros de Altavoz del Frente, en sus emisiones diarias» por lo que llegó a hacerse popular (Carlos Palacio, «Canciones de la defensa de Madrid», *Comisario,* núm. 3, 3 de noviembre de 1938, 45-50).

y a un lado el Manzanares;
la tierra a la cintura
y a un lado el Manzanares.

¡Ay río Manzanares
sin otro manzanar
que un pueblo que te hace
tan grande como el mar!
Que un pueblo que te hace
tan grande como el mar.

LA GUERRA, MADRE

Letra de Miguel Hernández
música de Lan Adomian

La guerra, madre: la guerra[75].
Mi casa sola y sin nadie.
Mi almohada sin aliento.
La guerra, madre: la guerra.
Mi almohada sin aliento.
La guerra, madre: la guerra.

La vida, madre: la vida,
La vida para matarse.
Mi corazón sin compaña.
La guerra, madre: la guerra.   10
Mi corazón sin compaña.
La guerra, madre: la guerra.

75 Tomo este poema de *Colección de Canciones de Lucha,* ed. Carlos Palacio (Valencia, Talleres Tipografía Moderna, febrero de 1939), 43-44, que conozco a través de la edición facsímil de Ed. Pacific, Madrid, 1980. También le puso música Lan Adomian. Aunque por el tono total podría parecer más próxima a *El hombre acecha,* la incluyo aquí por constituir, con la anterior y la siguiente, las tres únicas canciones de guerra que deben su letra a Miguel Hernández.

¿Quién mueve sus hondos pasos
En mi alma y en mi calle?
Cartas moribundas, muertas.
La guerra, madre: la guerra.
Cartas moribundas, muertas.
La guerra, madre: la guerra.

[LETRILLA DE UNA CANCIÓN DE GUERRA]

Déjame que me vaya[76],
madre, a la guerra.
Déjame, blanca hermana,
novia morena.
Déjame.

Y después de dejarme
junto a las balas,
mándame a la trinchera
besos y cartas.
Mándame.

---

[76] A. Sánchez Vidal, cuyo texto sigo, incluye este poema en el ciclo de *Viento del pueblo*, a lo que le mueve «no sólo su exaltación bélica, sino el hecho de haber sido incluido en *Pastor de la muerte* (OC, 854-856) en una escena de inequívoco probelicismo» (PC, 818). El espíritu de la canción tradicional impregna esta letrilla que tan vivamente expresa «el lirismo del joven que ansía acudir al combate» en sus estrofas sencillas y llenas de musicalidad (Díez de Revenga, 142).

·CANTO DE INDEPENDENCIA

Paso a paso, mi tierra vuelve a mí. Trozo a trozo[77],
vuelven la claridad y el día y el centeno.
Han querido arrojar tanta luz en un pozo[78],
en un pozo guardado por un puño de cieno.

Por una madrugada de gallos iracundos,
un ejército joven como las madrugadas
conquista, paso a paso, los arados profundos,
los pueblos invadidos, los hijos, las azadas.

---

[77] La versión autónoma del poema (la de OC, 351-353), frente a la versión dramática, que ofrece *Pastor de la muerte* (OC, 927-929), es la que por ahora resulta más aceptable y es la que adopto. Balcells observa que ciertos cambios comprueban que la versión dramática es posterior a la original y tratan de acoplar el texto a las circunstancias y necesidades de la representación. Entre otras razones aduce la siguiente: «El drama se basa preferentemente en composiciones octosilábicas, y ordenadas en redondillas, ya alternadas, ya abrazadas. El "Canto de Independencia" desentona con la restante metría del drama precisamente por ser eso, un canto, emitido en versos de arte mayor, alejandrinos. Aún más peso tiene considerar que el referido canto no se deduce dramáticamente de la pieza teatral, se nota un añadido, añadido de calidad pero añadido al fin. Hernández lo titula "Voz del poeta"» («Consideraciones», 28). La versión teatral ofrece, además de las comentadas en las notas, estas variantes que subrayo: «vuelven la claridad *del* día» (v. 2); «contra aquellos que quieren *arar*» (v. 60); «donde *la historia de estos soldados*» (v. 70); «Y aún sonarán *las voces* y las pisadas rojas / cuando el bronce *se arrugue* y el cañón críe canas» (vv. 75-76). Añade una coma al fin de v. 15.

[78] La variante de la versión dramática (*«este mapa* en un pozo», en vez de *«tanta luz* en un pozo») responde a una exigencia escénica, ya que en las indicaciones para la representación se dice: «El mapa de España, proyectado en

168

Soplan los toros y hacen temblar la luz del cielo:
los hombres que yo digo la aumentan y la aclaran,   10
hasta cuando la sombra viene a invadir el suelo
y a la sombra estos hombres que he dicho le disparan.

Haciendo luz la luz y luz la sombra densa,
van los padres del sol, los padres del granito,
que hacen la espiga grande, y hacen la vida inmensa
y el vientre de las madres poblado de infinito.

Aprende en estas vidas, aprende como aprendo:
aprende a ser un hombre bien clavado en el barro,
lo mismo que estos hombres que mueren encendiendo
la mecha, la sonrisa, la muerte y el cigarro.   20

Dejad el pie descalzo para pisar el punto
donde cayó la sangre de las mejores venas:
para besar la tierra donde recojo y junto
los huesos orgullosos de rodar sin cadenas.

Los huesos de los que antes de entregarse al verdugo
prefieren enterrarse bajo su misma mano,
sobre la boca donde sólo habitó el mendrugo
echándose una tierra que no podrá el gusano.

Vergüenza en tus mejillas mientras que tu no obres
como estas anchas vidas que hasta los astros llegan.   30
Dulce es la sangre, dulce, la sangre de los pobres,
la sangre de los pueblos con la que tantos juegan.

Los cuervos la devoran a duros picotazos,
ávidos la reclaman los ricos con embudos:
hasta que, amargamente, se encrespa por los brazos
y ataca a quien la absorbe con aletazos rudos.

---

rojo y negro. El color rojo avanzará agresivamente sobre el negro hasta deste-
rrarlo en el curso de la escena» (OC, 927). Véase Balcells, ««Consideraciones», 27.

Hoy, mientras esta sangre recorre España entera
y apenas por sus hombres prueba el pan, prueba el beso,
vosotros, los llegados de un hambre carnicera,
como los perros mismos os disputáis un hueso.   40

Sois los que nunca abrís la mano, la mirada,
el corazón, la boca, para sembrar verdades:
los que siempre pedís, los que jamás dais nada,
cosecheros que sólo sembráis oscuridades.

¡Fuera de aquí, egoístas de retorcidas manos,
dispuestos a negar la pureza en la nieve![79]
Sois también invasores como los italianos,
como la dinamita que sobre España llueve.

La vida que prorrumpe como una llamarada
comunicando al cielo su resplandor de avena,   50
vuestra existencia seca de cárcel encerrada
que no sabe obtener la libertad, condena.

Blandos de peticiones y blandos de lamentos,
se mueven vuestros labios que tan sólo provoca
una voracidad brutal por los sustentos,
sucia y abierta en tanto que otros cierran la boca.

Ellos cierran la boca como una piedra brava
y aprietan las cabezas como un siglo de puños,
cerrados, agresivos, llenos de espuma y lava,
contra aquellos que quieren robar nuestros terruños[80].   60

---

[79] La variante «dispuestos a *cagar encima de* la nieve» de la versión dramática viene a sustituir «dispuestos a *negar la pureza en* la nieve». Balcells nota
cómo ante este cambio «resulta imposible dudar cuál es la versión primera.
La corrección dramática, que cumple una consigna política de incitación...,
se ha hecho, pues, para un público oyente que esperaba quizá palabras de este
tipo» («Consideraciones», 27).

[80] Balcells entiende los versos 57-59 referidos a los franquistas, por lo que
considera un desliz e inconsecuencia el «robar» de este verso. Creo que leyen-
do cuidadosamente el contexto se desprende un sentido muy diverso. Los vv.
37-56 son una vigorosa imprecación al enemigo: «vosotros, los llegados» (v.

Rayos de carne y hueso, carbonizan a aquellos
que atacan su pobreza, su trabajo, su casa.
Yo voy con este soplo que exige mis cabellos,
yo alimento este fuego creciente que me abrasa.

Escoged bien la piedra para grabar los nombres,
la eternidad, los rasgos, la vida, la figura
de la definitiva materia de estos hombres,
hasta volverla carne de siglos y hermosura.

Escoged bien la mano y el cincel decisivo
donde de estos soldados la historia resplandezca,   70
porque el avance sigue de la encina al olivo
por más que el perro ladre y el cuervo se oscurezca.

España se levanta limpia como las hojas,
limpias con el sudor del hombre y las mañanas,
y aún sonarán los nombres y las pisadas rojas
cuando el bronce no suene y el cañón eche canas.

---

39), «Sois los que nunca abrís» (v. 41), «Sois también invasores» (v. 47),
«vuestra existencia» (v. 51), «vuestros labios» (v. 54). De este 'vosotros' diri-
gido al enemigo, salta por contraste a un 'ellos', los soldados republicanos
(vv. 57-59), que unidos y agresivos luchan «contra aquellos que quieren robar nuestros terruños» (los del bando fascista). El «arar» en vez de robar de la
versión dramática (v. 60) tiene el sentido de apropiarse, cultivar lo que no
son sus tierras.

Colección Letras Hispánicas

ÚLTIMOS TÍTULOS PUBLICADOS